昌明文庫・悅讀經典

一・生・必・讀・的

中外經典名著

政治卷

劉上洋－主編　陳東有－副主編
陳小林、馮志峰－選編

前言
FOREWORD

學習是文明傳承之途、人生成長之梯、政黨鞏固之基、國家興盛之要。我們黨歷來重視和善於學習。建設馬克思主義學習型政黨，是黨的十七屆四中全會提出的一項重大戰略任務，是黨中央從當前世情、國情、黨情出發，進一步動員全黨加強學習、開拓奮進的重大舉措。胡錦濤總書記在「七一」講話中，對建設學習型政黨又提出了新的希望和要求，強調「全體黨員、幹部都要把學習作為一種精神追求」，「真正做到學以立德、學以增智、學以創業」。一個黨員只有不斷地通過讀書豐富和完善自己的理論知識，汲取人類源源不盡的智慧精華，才能提升自身的素質與修養，才能不斷適應新形勢、新要求，才能在新的歷史起點上開闢事業發展的新境界。

知識永無止境，書籍浩如煙海。要在有限的時間裏通過讀書學習獲取最大的收穫，就要在讀書學習時做到有所選擇、有所取捨。只有選取那些劃時代的經典著作，特別是那些能夠啟動感性、啟發知性、錘鍊理性的經典名篇進行重點閱讀，才能收到事半功倍的效果。大浪淘沙，真金自見。經過歷史檢驗而巍然存世的經典名篇是古今中外的文化精華，是人類智慧的結晶。這些傳世之作歷久彌新，蘊涵著大量的治政理念、法治精神、哲學思考、經濟思想、文學精髓、歷史規律、科技知識和藝術感悟等，是我們取之不盡、用之不竭的文化源泉。閱讀這些經典名篇，既能使我們博採眾長，不斷增加知識儲備，又能使我們產生思想上的共振共鳴，得到精神上的愉悅享受。

為此，省委宣傳部組織編輯出版了這套黨員幹部閱讀系列叢書。該套叢書共分為政治卷、哲學卷、經濟卷、歷史卷、法律卷、文學卷、科技卷、藝術卷8卷，從古今中外浩繁的書籍中遴選了部分具有啟迪、普及意義的經典名篇，以滿足全省廣大黨員幹部對高品位、高品質、多學科經典著作的閱讀需要。同時，也藉此在全社會大興讀書學習之風，推動各級黨組織形成愛讀書、樂讀書、讀好書、善讀書的良好風氣，促進全省學習型黨組織建設活動廣泛深入地開展，使廣大黨員幹部更好地適應時代和社會發展的需要，為實現江西科學發展、進位趕超、綠色崛起貢獻智慧和力量。

2011年10月13日

---

*編按：本文原刊《讀精品・品經典・政治卷》之〈前言〉。

目錄

CONTENTS

一、馬克思主義作家政治經典

三、中國歷代政治經典

一 馬克思主義作家政治經典

馬克思

理論一經掌握群眾，就會變成物質力量

德國的法哲學和國家哲學是唯一與正式的當代現實保持在同等水準上的德國歷史。因此，德國人民必須把自己這種夢想的歷史一併歸入自己的現存制度，不僅批判這種現存制度，而且同時還要批判這種制度的抽象繼續。他們的未來既不能局限於對他們現實的國家和法的制度的直接否定，也不能局限於他們觀念上的國家和法的制度的直接實現，因為他們觀念上的制度就具有對他們現實的制度的直接否定，而他們觀念上的制度的直接實現，他們在觀察鄰近各國的生活的時候幾乎就經歷過了。因此，德國的實踐政治派要求對哲學的否定是正當的。該派的錯誤不在於提出了這個要求，而在於停留於這個要求——沒有認真實現它，也不可能實現它。該派以為，只要背對著哲學，並且扭過頭去對哲學嘟囔幾句陳腐的氣話，對哲學的否定就實現了。該

派眼界的狹隘性就表現在沒有把哲學歸入德國的現實範圍，或者甚至以為哲學低於德國的實踐和為實踐服務的理論。你們要求人們必須從現實的生活胚芽出發，可是你們忘記了德國人民現實的生活胚芽一向都只是在他們的腦殼裏萌生的。一句話，你們不能使哲學成為現實，就不能夠消滅哲學。

起源於哲學的理論政治派，犯了同樣的錯誤，只不過錯誤的因素是相反的。

該派認為目前的鬥爭只是哲學同德國世界的批判性鬥爭，它沒有想到迄今為止的哲學本身就屬於這個世界，而且是這個世界的補充，雖然只是觀念的補充。該派對敵手採取批判的態度，對自己本身卻採取非批判的態度，因為它從哲學的前提出發，要麼停留於哲學提供的結論，要麼就把從別處得來的要求和結論冒充為哲學的直接要求和結論，儘管這些要求和結論——假定是正確的——相反地只有借助於對迄今為止的哲學的否定、對作為哲學的哲學的否定，才能得到。關於這一派，我們留待以後作更詳細的敘述。該派的根本缺陷可以歸結如下：它以為，不消滅哲學，就能夠使哲學成為現實。

德國的國家哲學和法哲學在黑格爾的著作中得到了最系統、最豐富和最終的表述；對這種哲學的批判既是對現代國家和對同它相聯繫的現實所作的批判性分析，又是對迄今為止的德國政治意識和法意識的整個形式的堅決否定，而這種意識的最主要、最普遍、上陞為科學的表現正是思辨的法哲學本身。如果思辨的法哲學，這種關於現代國家——它的現實仍然是彼岸世界，雖然這個彼岸世界也只在萊茵河彼岸——的抽象而不切實際的思維，只是在德國才有可能產生，那麼反過來說，德國人那種置現實的人於不顧的關於現代國家的思想之所以可能產生，也只是因為現代國家本身置現實的人於不顧，或者只憑虛構的方式滿足整個的人。德國人在政治上思考其它國家做過的事情。德國是這些國家理論上的良心。它的思維的抽象和自大總是同它的現實的片面和低下保持同步。因此，如果德國國家制度的現狀表現了舊制度的完成，即表現了現代國家機體中這個肉中刺的完成，那麼德國的國家學說的現狀就表現了現代國家的未完成，表現了現代國家的機體本身的缺陷。

對思辨的法哲學的批判既然是對德國迄今為止政治意識形式的堅決反抗，它就不會面對自己本身，而會面向只有用一個辦法即實踐才能解決的那些課題。

……

批判的武器當然不能代替武器的批判，物質力量只能用物質力量來摧毀；但是理論一經掌握群眾，也會變成物質力量。理論只要說服人，就能掌握群眾；而理論只要徹底，就能說服人。所謂徹底，就是抓住事物的根本。但是，人的根本就是人本身。德國理論的徹底性從而其實踐能力的明證就是：德國理論是從堅決積極廢除宗教出發的。對宗教的批判最後歸結為人是人的最高本質這樣一個學說，從而也歸結為這樣的絕對命令：必須推翻那些使人成為被侮辱、被奴役、被遺棄和被蔑視的東西的一切關係，一個法國人對草擬中的養犬稅發出的呼聲，再恰當不過地刻畫了這種關係，他說：「可憐的狗啊！人家要把你們當人看哪！」

即使從歷史的觀點來看，理論的解放對德國也有特別實際的意義。德國的革命的過去就是理論性的，這就是宗教改革。正像當時的革命是從僧侶的頭腦開始一樣，現在的革命則從哲學家的頭腦開始。

的確，路德戰勝了虔信造成的奴役制，是因為他用信念造成的奴役制代替了它。他破除了對權威的信仰，是因為他恢復了信仰的權威，他把僧侶變成了世俗人，是因為他把世俗人變成了僧侶。他把人從外在的宗教篤誠解放出來，是因為他把宗教篤誠變成了人的內在世界。他把肉體從鎖鏈中解放出來，是因為他給人的心靈套上了鎖鏈。

（節選自馬克思《〈黑格爾法哲學批判〉導言》，《馬克思恩格斯選集》第 1 卷，人民出版社 1995 年版）

編選說明 ●●●

《黑格爾法哲學批判》，1843 年夏天由馬克思寫於萊茵省的克羅茨納赫，故又稱《克羅茨納赫手稿》。該書是馬克思批判黑格爾哲學的第一部著作，第一次系統完整地闡述了對黑格爾國家觀所作的分析和批判，深刻揭露了黑格爾思辨哲學的神秘主義，得出了市民社會決定政治國家的著名結論，闡明了人民創造國家的思想，提出必須經過真正的革命才能建立新國家的觀點，大力促進了無產階級革命運動的發展。

馬克思・恩格斯

每個人的自由發展是一切人的自由發展的條件

至今一切社會的歷史都是階級鬥爭的歷史。

自由民和奴隸、貴族和平民、領主和農奴、行會師傅和幫工，一句話，壓迫者和被壓迫者，始終處於相互對立的地位，進行不斷的、有時隱蔽有時公開的鬥爭，而每一次鬥爭的結局是整個社會受到革命改造或者鬥爭的各階級同歸於盡。

……

但是，我們的時代，資產階級時代，卻有一個特點：它使階級對立簡單化了。整個社會日益分裂為兩大敵對的陣營，分裂為兩大相互直接對立的階級：資產階級和無產階級。

……

以前那種封建的或行會的工業經營方式已經不能滿足隨著新市場的出現而增加的需求了。工廠手工業代替了這種經營方式。行會師傅被工業的中間等級排擠掉了；各種行業組織之間的分工隨著各個作坊內部的分工的出現而消失了。

但是，市場總是在擴大，需求總是在增加。甚至工廠手工業也不再能滿足需要了。於是，蒸汽和機器引起了工業生產的革命。現代大工業化替了工廠手工業；工業中的百萬富翁，一支一支產業大軍的首領，現代資產者，代替了工業的中間等級。

大工業建立了由美洲的發現所準備好的世界市場。世界市場使商業、航海業和陸路交通得到了巨大的發展。這種發展又反過來促進了工業的擴展，同時，隨著工業、商業、航海業和鐵路的擴展，資產階級也在同一程度上得到發展，增加自己的資本，把中世紀遺留下來的一切階級都排擠到後面去。

由此可見，現代資產階級本身是一個長期發展過程的產物，是生產方式和交換方式的一系列變革的產物。

……

資產階級在歷史上曾經起過非常革命的作用。

資產階級在它已經取得了統治的地方把一切封建的、宗法的和田園詩般的關係都破壞了。……它用公開的、無恥的、直接的、露骨的剝削代替了由宗教幻想和政治幻想掩蓋著的剝削。

資產階級抹去了一切向來受人尊崇和令人敬畏的職業的神聖光環。它把醫生、律師、教士、詩人和學者變成了它出錢招雇的雇傭勞動者。

資產階級撕下了罩在家庭關係上的溫情脈脈的面紗，把這種關係變成了純粹的金錢關係。

由此可見，資產階級賴以形成的生產資料和交換手段，是在封建社會裏造成的。在這些生產資料和交換手段發展的一定階段上，封建社會的生產和交換在其中進行的關係，封建的農業和工廠手工業組織，一句話，封建的所有制關係，就不再適應已經發展的生產力了。

這種關係已經在阻礙生產而不是促進生產了。它變成了束縛生產的桎梏。它必須被炸毀，它已經被炸毀了。

起而代之的是自由競爭以及與自由競爭相適應的社會制度和政治制度、資產階級的經濟統治和政治統治。

……

資產階級用來推翻封建制度的武器，現在卻對準資產階級自己了。

但是，資產階級不僅鍛造了置自身於死地的武器；它還產生了將要運用這種武器的人——現代的工人，即無產者。

……

過去一切階級在爭得統治之後，總是使整個社會服從於它們發財致富的條件，企圖以此來鞏固它們已經獲得的生活地位。無產者只有廢除自己的現存的佔有方式，從而廢除全部現存的佔有方式，才能取得社會生產力。無產者沒有什麼自己的東西必須加以保護，他們必須摧毀至今保護和保障私有財產的一切。

過去的一切運動都是少數人的或者為少數人謀利益的運動。無產階級的運動是絕大多數人的、為絕大多數人謀利益的獨立的運動。無產階級，現今社會的最下層，如果不炸毀構成官方社會的整個上層，就不能抬起頭來，挺起胸來。

……

共產黨人的最近目的是和其它一切無產階級政黨的最近目的一樣的：使無產階級形成為階級，推翻資產階級的統治，由無產階級奪取政權。

……

從這個意義上說，共產黨人可以把自己的理論概括為一句話：消滅私有制。

……

代替那存在著階級和階級對立的資產階級舊社會的，將是這樣一個聯合體，在那裏，每個人的自由發展是一切人的自由發展的條件。

……

共產黨人不屑於隱瞞自己的觀點和意圖。他們公開宣佈：他們的目的只有用暴力推翻全部現存的社會制度才能達到。讓統治階級在共產主義革命面前發抖吧。無產者在這個革命中失去的只是鎖鏈。他們獲得的將是整個世界。

全世界無產者，聯合起來！

（節選自馬克思、恩格斯《共產黨宣言》，《馬克思恩格斯選集》第 1 卷，人民出版社 1995 年版）

編選說明 •••

《共產黨宣言》（以下簡稱《宣言》）為馬克思和恩格斯合著，寫於 1847 年 12 月至 1848 年 1 月，同年 2 月在倫敦公開出版。《宣言》是世界上第一個無產階級政黨——共產主義者同盟的綱領，是第一部系統地、完整地闡述無產階級政黨基本原理的綱領性檔。它的發表，標誌著馬克思主義政黨學說的誕生和無產階級運動的興起。

馬克思

革命是歷史的火車頭

巴黎無產階級在資產階級逼迫下發動了六月起義。單是這一點已注定無產階級要失敗。既不是直接的、公開承認的要求驅使無產階級想用武力推翻資產階級；也不是無產階級已經到了有能力解決這個任務的地步。《通報》只得正式向無產階級挑明，共和國認為對它的幻想表示尊重的時代已經過去了，並且只有它的失敗才使它確信這樣一條真理：它要在資產階級共和國範圍內稍微改善一下自己的處境只是一種空想，這種空想只要企圖加以實現，就會成為罪行。於是，原先無產階級想要強迫二月共和國予以滿足的那些要求，那些形式上浮誇而實質上瑣碎的、甚至還帶有資產階級性質的要求，就由一個大膽的革命戰鬥口號取而代之，這個口號就是：推翻資產階級！工人階級專政！

無產階級既然將自己的葬身地變成了資產階級共和國的誕生地，也就迫使資產階級共和國現了原形：原來這個國家公開承認的目的就是使資本的統治和對勞動的奴役永世長存。已經擺脫了一切桎梏的資產階級統治，由於眼前總是站立著一個遍體鱗傷、決不妥協與不可戰勝的敵人，——其所以不可戰勝，是因為它的存在就是資產階級自身生存的條件，——就必定要立刻變成資產階級的恐怖。在無產階級暫時被擠出舞臺而資產階級專政已被正式承認之後，資產階級社會內的中等階層，即小資產階級和農民階級，就必定要隨著他們境況的惡化以及他們與資產階級對抗的尖銳化而越來越緊密地靠攏無產階級。正如他們從前曾認為他們的災難是由於無產階級的崛起一樣，現在則認為是由於無產階級的失敗。

如果說六月起義在大陸各處都加強了資產階級的自信心，並且促使它公開與封建王權結成聯盟來反對人民，那麼究竟誰是這個聯盟的第一個犧牲品呢？是大陸的資產階級自身。六月失敗阻礙了它鞏固自己的統治，阻礙了它使人民在半滿意和半失望中停留於資產階級革命的最低階段上。

最後，六月失敗使歐洲各個專制國家識破了一個秘密，即法國為了能在國內進行內戰，無論如何都必須對外保持和平。這就把已經開始爭取民族獨立的各國人民置於俄國、奧地利和普魯士的強權之下，但同時這些國家的民族革命的成敗也就要依無產階級革命的成敗而定，它們那種表面上不依社會大變革為轉移的獨立自主性就消失了。只要工人還是奴隸，匈牙利人、波蘭人或意大利人都不會獲得自由！

最後，神聖同盟的勝利使歐洲的局面發生了變化，只要法國發生任何一次新的無產階級起義，都必然會引起世界戰爭。新的法國革命將被迫立刻越出本國範圍去奪取歐洲的地區，因為只有在這裏才能夠實現 19 世紀的社會革命。

總之，只有六月失敗才造成了所有那些使法國能夠發揮歐洲革命首倡作用的條件。只有浸過了六月起義者的鮮血之後，「三色旗」才變成了歐洲革命的旗幟——紅旗。

因此我們高呼：革命死了，革命萬歲！

1848 年 2 月 25 日強迫法國實行共和制，6 月 25 日把革命強加給法國。在 6 月以後，革命意味著推翻資產階級社會，而在 2 月以前，它卻意味著推翻一種國家形式。

六月鬥爭是資產階級中的共和派領導的，鬥爭勝利了，政權當然歸他們。戒嚴使手足被縛的巴黎毫無抵抗地倒在他們腳下，而在外省，則到處籠罩著精神上的戒嚴氣氛，勝利了的資產者盛氣凌人、飛揚跋扈，農民則肆無忌憚地表現出對財產的狂熱情緒。因此，在下層已經沒有任何威脅了。

（節選自馬克思《1848 年至 1850 年的法蘭西階級鬥爭》，《馬克思恩格斯選集》第 1 卷，人民出版社 1995 年版）

編選說明 •••

《1848 年至 1850 年的法蘭西階級鬥爭》，是馬克思第一次運用唯物主義觀點分析法國「二月革命」的原因、性質和進程之作，提出了「革命是歷史的火車頭」的著名論斷，第一次直接使用無產階級專政的概念來說明無產階級國家的本質，豐富和發展了唯物主義歷史觀和社會革命的基本理論，為無產階級革命提供了理論指南。

馬克思

奪取政府權力是無產階級的歷史使命

1871 年 3 月 18 日清晨，巴黎被「公社萬歲！」的雷鳴般的呼聲喚醒了。公社，這個使資產階級的頭腦怎麼也捉摸不透的怪物，究竟是什麼呢？

中央委員會在它的 3 月 18 日宣言中寫道：

「巴黎的無產者，目睹統治階級的無能和叛賣，已經懂得：由他們自己親手掌握公共事務的領導以挽救時局的時刻已經到來……他們已經懂得：奪取政府權力以掌握自己的命運，是他們無可推卸的職責和絕對權利。」

但是，工人階級不能簡單地掌握現成的國家機器，並運用它來達到自己的目的。

中央集權的國家政權連同其遍佈各地的機關，即常備軍、警察局、官廳、教會和法院——這些機關是按照系統的和等級的分工原則建立的——起源於專制君主制時代，當時它充當了新興資產階級社會反對封建制度的有力武器。但是，領主權利、地方的特權、城市和行會的壟斷以及地方的法規等這一切中世紀的垃圾還阻礙著它的發展。18 世紀法國革命的大掃帚，把所有這些過去時代的殘餘都掃除乾淨，這樣就從社會基地上清除了那些妨礙建立現代國家大廈這個上層建的最後障礙。現代國家大廈是在第一帝國時期建立起來的，而第一帝國本身又是從半封建的舊歐洲反對現代法國的幾次同盟戰爭中產生的。在以後各個時期的政治體制之下，政府都被置於受議會控制，即受有產階級直接控制的地位。……與此同步，國家政權在性質上也越來越變成了資本藉以壓迫勞動的全國政權，變成了為進行社會奴役而組織起來的社會力量，變成了階級專制的機器。每經過一場標誌著階級鬥爭前進一步的革命以後，國家政權的純粹壓迫性質就暴露得更加突出。1830 年的革命使政權從地主手裏轉到了資本家手裏，也就是從與工人階級較遠的敵人手裏轉到了工人階級的更為直接的敵人手裏。資產階級共和黨人以二月革命的名義奪取了國家政權，並且利用這個政權進行了六月屠殺，從而向工人階級證明，「社會」共和國就是保證使他們遭受社會奴役的共和國。

（節選自馬克思《法蘭西內戰》，《馬克思恩格斯選集》第 3 卷，人民出版社 1995 年版）

編選說明 ●●●

《法蘭西內戰》是馬克思於 1871 年 4—5 月為國際工人協會總委員會所寫的就巴黎公社問題致歐洲和美國全體會員的宣言。《法蘭西內戰》概括了巴黎公社的歷史經驗，發展了無產階級革命和無產階級專政的學說，充分體現了馬克思鮮明的無產階級立場和徹底的唯物主義歷史觀，表明馬克思在剖析歷史事變中的「驚人的天才」。

馬克思

一步實際運動比一打綱領更重要

一步實際運動比一打綱領更重要。

……

如果說工人們想要在社會的範圍內，首先是在本國的範圍內創造合作生產的條件，這只是表明，他們在力爭變革現存的生產條件，而這同靠國家幫助建立合作社毫無共同之處！至於現有的合作社，它們只是在工人自己獨立創辦，既不受政府的保護，也不受資產者的保護的情況下，才有價值。

……

「現代社會」就是存在於一切文明國度中的資本主義社會，它或多或少地擺脫了中世紀的雜質，或多或少地由於每個國度的特殊的歷史發展而改變了形態，或多或少地有了發展。「現代國家」卻隨國境而異。它在普魯士德意志帝國同在瑞士不一樣，在英國同在美國不一樣。所以，「現代國家」是一種虛構。

但是，不同的文明國度中的不同的國家，不管它們的形式如何紛繁，卻有一個共同點：它們都建立在現代資產階級社會的基礎上，只是這種社會的資本主義發展程度不同罷了。所以，它們具有某些根本的共同特徵。在這個意義上可以談「現代國家制度」，而未來就不同了，到那時「現代國家制度」現在的根基即資產階級社會已經消亡了。

於是就產生了一個問題：在共產主義社會中國家制度會發生怎樣的變化呢？換句話說，那時有哪些同現在的國家職能相類似的社會職能保留下來呢？這個問題只能科學地回答；否則，即使你把「人民」和「國家」這兩個詞聯接一千次，也絲毫不會對這個問題的解決有所幫助。

在資本主義社會和共產主義社會之間，有一個從前者變為後者的革命轉變時期。同這個時期相適應的也有一個政治上的過渡時期，這個時期的國家只能是無產階級的革命專政。

但是，這個綱領既不談無產階級的革命專政，也不談未來共產主義社會的國家制度。

綱領的政治要求除了人所共知的民主主義的陳詞濫調，如普選權、直接立法權、人民權利、國民軍等等，沒有任何其它內容。這純粹是資產階級的人民黨、和平和自由同盟的回聲。所有這些要求，只要不是靠幻想誇大了的，都已經實現了。不過實現了這些要求的國家不是在德意志帝國境內，而是在瑞士、美國等等。這類「未來國家」就是現代國家，雖然它是存在於德意志帝國的「範圍」以外。

……

庸俗的民主派把民主共和國看做千年王國，他們完全沒有想到，正是在資產階級社會的這個最後的國家形式裏階級鬥爭要進行最後的決戰，——就連這樣的庸俗民主派也比這種局限於為員警所容許而為邏輯所不容許的範圍內的民主主義高明得多。

事實上，他們是把「國家」瞭解為政府機器，或者瞭解為構成一個由於分工而和社會分離的獨特機體的國家。

（節選自馬克思《哥達綱領批判》，《馬克思恩格斯選集》第 3 卷，人民出版社 1995 年版）

編選說明 ●●●

馬克思寫於 1875 年 4 月底—5 月初的《哥達綱領批判》，是國際共產主義運動的一部綱領性文獻。《哥達綱領批判》明確指出「一個新的綱領畢竟總是一面公開樹立起來的旗幟」，第一次提出共產主義社會分為第一階段和高級階段的科學論斷，鮮明地體現了馬克思主義的革命綱領同機會主義的反動綱領的尖銳對立，從理論上清算了拉薩爾主義，發展了科學社會主義，是對機會主義進行不懈鬥爭的典範。

恩格斯

工人階級的狀況是當代一切社會運動的真正基礎和出發點

近六十年來英國工業的歷史，在人類的編年史中是無與倫比的歷史，簡短地說來就是如此。六十年至八十年前，英國和其它任何國家一樣，城市很小、工業少而不發達、人口稀疏而且多半是農業人口。現在它卻是和其它任何國家都不一樣的國家了：有居民達 250 萬的首都，有許多巨大的工業城市，有供給全世界產品而且幾乎一切東西都是用極複雜的機器生產的工業，有勤勞而明智的稠密的人口，這些人口有三分之二從事於工業，完全是由另外的階級組成的，而且和過去比起來實際上完全是具有另外的習慣和另外的需要的另外一個民族。產業革命對英國的意義，就像政治革命對於法國，哲學革命對於德國一樣。而且 1760 年的英國和 1844 年的英國之間的差別，至少像 ancient regime（舊制度）下的法國和七月革命的法國之間的差別一樣大。但這個產業革命的最重要的產物是英國無產階級。

我們已看到，機器的使用如何引起了無產階級的誕生。工業的迅速發展產生了對人手的需要；工資提高了，因此，工人成群結隊地從農業地區湧入城市。人口以令人難以相信的速度增長起來，而且增加的差不多全是工人階級。此外，愛爾蘭只是在 18 世紀初才進入了平靜狀態，這裏的居民過去在發生騷動的時候被英國人殘酷地屠殺，減少了十分之一以上，現在也開始迅速地增長起來，特別是從工業繁榮開始吸引了許多愛爾蘭人到英格蘭去的那個時候起。大不列顛的巨大的工商業城市就是這樣產生的，這些城市中至少有四分之三的人口屬於工人階級，而小資產階級只是一些小商人和人數很少很少的手工業者。可是新生的工業能夠這樣成長起來，只是因為它用機器代替了手工工具，用工廠代替了作坊，從而把中等階級中的勞動分子變成工人無產者，把從前的大商人變成了廠主；它排擠了小資產階級，並把居民間的一切差別化為工人和資本家之間的對立。而在狹義的工業以外，在手工業方面，甚至於在商業方面，也發生了同樣的情形。大資本家和沒有任何希望上陞到更高的階級地位的工人代替了以前的師傅和幫工；手工業變成了工廠生產，嚴格地實行了分工，小的師傅由於沒有可能和大企業競爭，也被擠到無產階級的隊伍中去了。但同時，隨著從前的手工業生產的被消滅，隨著小資產階級的消失，工人也沒有任何可能成為資產者了。從前，他們總有希望自己弄一個作坊，也許將來還可以雇幾個幫工；可是現在，當師傅本人也被廠主排擠的時候，當開辦獨立的企業必須有大量資本的時候，工人階級才第一次真正成為居民中的一個穩定的階級，而在過去，工人的地位往往是走上資產者地位的階梯。現在是生而為工人，那麼他除了一輩子做工人，就再沒有別的前途了。所以，只是在現在無產階級才能組織自己的獨立運動。

這個現在布滿了整個大不列顛的廣大的工人群眾就是這樣產生的，他們的社會地位一天天地吸引著文明世界的注意。

工人階級的狀況也就是絕大多數英國人民的狀況。這幾百萬窮困不堪的人，他們昨天掙得的今天就吃光，他們用自己的發明和自己的勞動創造了英國的偉大，他們一天天地更加意識到自己的力量，一天天地更加迫切要求取得社會財富中的自己的一份。這些人的命運應該如何，這個問題，從改革法案通過時起已成了全國性的問題。議會中一切稍微重要一點的辯論都可以歸結為這個問題，而且，雖然英國的資產階級到現在還不願意承認這一點，雖然他們企圖對這個大問題保持緘默，並把自己的私利說成真正的民族利益，但是他們是決不會成功的。議會每開一次會，工人階級的問題都獲得更大的重要性，而資產階級的利益則退居次要的地位，雖然資產階級是議會中主要的、甚至是唯一的力量，但是 1844 年最近的一次會議所討論的還始終是工人的問題（濟貧法案、工廠法案、主僕關係法案）。工人階級在下院的代表湯瑪斯彝鄧科布是這次會議的中心人物，而要求廢除穀物法的自由資產階級和提議拒絕納稅的激進資產階級卻充當了很可憐的角色。甚至關於愛爾蘭問題的辯論，實質上也只是關於愛爾蘭無產階級狀況和幫助他們的辦法的辯論。早就是英國資產階級向工人讓步的時候了，工人們不是在懇求，而是在威脅，在要求；要知道，不久也許就太晚了。

可是英國資產階級，特別是直接靠工人的貧窮髮財的廠主們，卻不正視這種貧窮的狀況。資產階級認為自己是最強大的階級——代表民族的階級，他們羞於向全世界暴露英國的這個膿瘡；他們不願意承認工人的窮苦狀況，因為對這種窮苦狀況應負道義上的責任的，正是他們，正是有產的工業家階級。因此，關於工人狀況的一切談論，有教養的英國人（大陸上知道的僅僅是他們，即資產階級）通常總是報以輕蔑的一笑；因此，整個資產階級都有這樣一個特點，即對有關工人的一切總是一無所知的；因此，他們在議會內外一談到無產階級的狀況時就說得牛頭不對馬嘴；因此，雖然土地正從他們腳下逝去並且每天都可能崩潰，而這種很快就會發生的災禍又像力學和數學的定律所起的作用一樣地不可避免，可是他們還是很安然自得；因此，就產生了這樣一種奇怪的事情：雖然天知道英國人用了多少年來「研究」和「改善」工人的狀況，可是他們還沒有一本專門闡述這種狀況的書。但因此也產生了從格斯哥到倫敦的整個工人階級對富有者的極大的憤怒，這些富有者有系統地剝削他們，然後又冷酷地讓命運去任意擺佈他們。這種憤怒過不長的時間（這個時間幾乎是可以算出來的）就會爆發為革命，和這個革命比起來，法國第一次革命和 1791 年簡直就是兒戲。

（節選自恩格斯《英國工人階級狀況》，《馬克思恩格斯全集》第 2 卷，人民出版社 2005 年版）

編選說明 •••

《英國工人階級狀況》是恩格斯根據自己 1842 年 11 月至 1844 年 8 月在英國居住期間的寫成的一部重要著作。無論是親自進行的社會典型調查，還是引用官方和非官方的各種統計資料，反映了當時英國工人階級的真實情況。作者根據日益成熟的歷史唯物主義觀點，研究了英國的經濟制度和政治制度，揭示了資本主義制度內在的深刻矛盾，強調指出社會主義必須同工人運動結合起來。

恩格斯

一定的權威與一定的服從，兩者都是我們所需要的

有些社會主義者近來開始了一次真正的十字軍征討，來反對他們稱之為權威原則的東西。他們要想給這種或那種行為定罪，只要把它們說成是權威的就行了。這種簡單化的方法竟被濫用到這種地步，迫使我們不得不較詳細地考察一下。這裏所說的權威，是指把別人的意志強加於我們；另一方面，權威又是以服從為前提的。但是，既然這兩種說法都不好聽，而它們所表現的關係又使服從的一方感到難堪，於是就產生了一個問題：是不是就沒有以另外方式行事的辦法呢，我們能不能——在現代的社會關係下——創造出另一種社會狀態來，使這種權威成為沒有意義的東西而歸於消失呢。我們只要考察一下作為現代資產階級社會基礎的那些經濟關係，即工業關係和農業關係，就會發現，它們有一種使各個分散的活動越來越為人們的聯合活動所代替的趨勢。代替各個分散的生產者的小作坊的，是擁有龐大工廠的現代工業，在這種工廠中有數百個工人操縱著由蒸汽推動的複雜機器；大路上的客運馬車和貨運馬車已被鐵路上的火車所代替，小型劃槳船和帆船已被輪船所代替。甚至在農業中，機器和蒸汽也越來越占統治地位，它們正緩慢地但卻一貫地使那些靠雇傭工人耕作大片土地的大

資本家來代替小自耕農。聯合活動、互相依賴的工作過程的錯綜複雜化，正在到處取代各個人的獨立活動。但是，聯合活動就是組織起來，而沒有權威能夠組織起來嗎？

我們假定，社會革命推翻了現在以自己的權威支配財富的生產和流通的資本家。我們再完全按照反權威主義者的觀點來假定，土地和勞動工具都成了那些使用它們的工人的集體財產。在這種情況下，權威將會消失呢，還是只會改變自己的形式？我們就來看一看。

就拿紡紗廠作例子吧。棉花至少要經過六道連續工序才會成為棉紗，並且這些工序大部分是在不同的車間進行的。其次，為了使機器不斷運轉，就需要工程師照管蒸汽機，需要技師進行日常檢修，需要許多粗工把產品由一個車間搬到另一個車間等等。所有這些勞動者——男人、女人和兒童——都被迫按照那根本不管什麼個人自治的蒸汽權威所決定的鐘點開始和停止工作。所以，勞動者們首先必須就工作時間取得一致；而工作時間一經確定，大家就要毫無例外地一律遵守。其次，在每個車間裏，時時都會發生有關生產過程、材料分配等細節問題，要求馬上解決，否則整個生產就會立刻停頓下來。不管這些問題是怎樣解決的，是根據領導各該勞動部門的代表的決定來解決的呢，還是在可能情況下用多數表決的辦法來解決，個別人的意志總是要表示服從，這就是說，問題是靠權威來解決的。大工廠裏的自動機器，比雇用工人的任何小資本家要專制得多。至少就工作時間而言，可以在這些工廠的大門上寫上這樣一句話：進門者請放棄一切自治！如果說人靠科學和創造性天才征服了自然力，那麼自然力也對人進行報復，按人利用自然力的程度使人服從一種真正的專制，而不管社會組織怎樣。想消滅大工業中的權威，就等於想消滅工業本身，即想消滅蒸汽紡紗機而恢復手紡車。

再拿鐵路作例子。這裏，無數人的協作也是絕對必要的；為了避免不幸事故，這種協作必須依照準確規定的時間來進行。在這裏，運轉的首要條件也是要有一個能處理一切所管轄問題的起支配作用的意志，——不論體現這個意志的是一個代表，還是一個受託執行有關的大多數人的決議的委員會，都是一樣。不論在哪一種場合，都要碰到一個顯而易見的權威。不僅如此，假如鐵路員工對乘客先生們的權威被取消了，那麼，隨後開出的列車會發生什麼事情呢？

但是，能最清楚地說明需要權威，而且是需要專斷的權威的，要算是在汪洋大海上航行的船了。那裏，在危急關頭，大家的生命能否得救，就要看所有的人能否立即絕對服從一個人的意志。

如果我拿這種論據來反對最頑固的反權威主義者，那他們就只能給我如下的回答：「是的！這是對的，但是這裏所說的並不是我們賦予我們的代表以某種權威，而是某種委託。」這些先生以為，只要改變一下某一事物的名稱，就可以改變這一事物本身。這些深奧的思想家，簡直是在開我們的玩笑。

這樣，我們看到，一方面是一定的權威，不管它是怎樣形成的，另一方面是一定的服從，這兩者都是我們所必需的，而不管社會組織以及生產和產品流通賴以進行的物質條件是怎樣的。

另一方面，我們也看到，生產和流通的物質條件，不可避免地隨著大工業和大農業的發展而擴展起來，並且趨向於日益擴大這種權威的範圍。所以，把權威原則說成是絕對壞的東西，而把自治原則說成是絕對好的東西，這是荒謬的。權威與自治是相對的東西，它們的應用範圍是隨著社會發展階段的不同而改變的。如果自治論者僅僅是想說，未來的社會組織將只在生產條件所必然要求的限度內允許權威存在，那也許還可以同他們說得通。但是，他們閉眼不看使權威成為必要的種種事實，只是拼命反對字眼。

為什麼反權威主義者不只限於高喊反對政治權威，反對國家呢？所有的社會主義者都認為，政治國家以及政治權威將由於未來的社會革命而消失，這就是說，公共職能將失去其政治性質，而變為維護真正社會利益的簡單的管理職能。但是，反權威主義者卻要求在產生權威的政治國家的各種社會條件廢除以前，一舉把權威的政治國家廢除。他們要求把廢除權威作為社會革命的第一個行動。這些先生見過革命沒有？革命無疑是天下最權威的東西。革命就是一部分人用槍桿、刺刀、大炮，即用非常權威的手段強迫另一部分人接受自己的意志。獲得勝利的政黨如果不願意失去自己努力爭得的成果，就必須憑藉它以武器對反動派造成的恐懼，來維持自己的統治。要是巴黎公社面對資產者沒有運用武裝人民這個權威，它能支持哪怕一天嗎？反過來說，難道我們沒有理由責備公社把這個權威用得太少了嗎？

總之，二者必居其一。或者是反權威主義者自己不知所云，如果是這樣，那他們只是在散佈糊塗觀念；或者他們是知道的，如果是這樣，那他們就背叛了無產階級運動。在這兩種情況下，他們都只是為反動派效勞。

（節選自恩格斯《論權威》，《馬克思恩格斯選集》第 3 卷，人民出版社 1995 年版）

編選說明 ●●●

1872 年 9 月，巴枯寧在瑞士的聖伊米耶召開了「反權威主義」的代表大會，反對海牙代表大會的一切決議。為清算巴枯寧無政府主義，1872 年 10 月至 1873 年 3 月，《論權威》就是在這樣的背景下寫的。恩格斯運用辯證唯物主義和歷史唯物主義的觀點與方法，駁斥了巴枯寧主義者反對一切權威的錯誤觀點，分析了權威的實質，論證了權威在社會生活中的重要作用，明確了權威與自治的辯證關係，闡明了無產階級政治權威的重要性，它不僅為當時的無產階級組建工人階級政黨和領導工人運動提供了思想武器和理論指導，而且對我們今天實施思想政治教育也提供了諸多有益的啟示。

恩格斯

他可能有過許多敵人，但未必有一個私敵

3 月 14 日下午兩點三刻，當代最偉大的思想家停止思想了。讓他一個人留在房間裏還不到兩分鐘，當我們進去的時候，便發現他在安樂椅上安靜地睡著了——但已經是永遠地睡著了。

這個人的逝世，對於歐美戰鬥著的無產階級，對於歷史科學，都是不可估量的損失。這位巨人逝世以後所形成的空白，不久就會使人感覺到。

正像達爾文發現有機界的發展規律一樣，馬克思發現了人類歷史的發展規律，即歷來為繁蕪叢雜的意識形態所掩蓋著的一個簡單事實：人們首先必須吃、喝、住、穿，然後才能從事政治、科學、藝術、宗教等等；所以，直接的物質的生活資料的生產，從而一個民族或一個時代的一定的經濟發展階段，便構成基礎，人們的國家設施、法的觀點、藝術以至宗教觀念，就是從這個基礎上發展起來的，因而，也必須由這個基礎來解釋，而不是像過去那樣做得相反。

不僅如此。馬克思還發現了現代資本主義生產方式和它所產生的資產階級社會的特殊的運動規律。由於剩餘價值的發現，這裏就豁然開朗了，而先前無論資產階級經濟學家或社會主義批評家所做的一切都只是在黑暗中摸索。

一生中能有這樣兩個發現，該是很夠了，即使只能作出一個這樣

的發現，也已經是幸福的了。但馬克思在他所研究的每一個領域，甚至在數學領域，都有獨到的發現，這樣的領域是很多的，而且其中任何一個領域他都不是淺嘗輒止。

他作為科學家就是這樣。但是這在他身上遠不是主要的。在馬克思看來，科學是一種在歷史上起推動作用的、革命的力量。任何一門理論科學中的每一個新發現——它的實際應用也許還根本無法預見——都使馬克思感到衷心喜悅，而當他看到那種對工業、對一般歷史發展立即產生革命性影響的發現的時候，他的喜悅就非同尋常了。例如，他曾經密切注視電學方面各種發現的發展情況，不久以前，他還密切注視馬賽爾·德普勒的發現。

因為馬克思首先是一個革命家。他畢生的真正使命,就是以這種或那種方式參加推翻資本主義社會及其所建立的國家設施的事業，參加現代無產階級的解放事業，正是他第一次使現代無產階級意識到自身的地位和需要,意識到自身解放的條件。鬥爭是他的生命要素。很少有人像他那樣滿腔熱情、堅韌不拔和卓有成效地進行鬥爭。最早的《萊因報》（1842 年），巴黎的《前進報》（1844 年），《德意志—布魯塞爾報》（1847 年），《新萊茵報》（1848—1849 年），《紐約每日論壇報》（1852—1861 年），以及許多富有戰鬥性的小冊子，在巴黎、布魯塞爾和倫敦各組織中的工作，最後，作為全部活動的頂峰，創立偉大的國際工人協會，——老實說，協會的這位創始人即使沒有別的什麼建樹，單憑這一成果也可以自豪。

正因為這樣，所以馬克思是當代最遭忌恨和最受誣衊的人。各國政府——無論專制政府或共和政府，都驅逐他；資產者——無論保守派或極端民主派，都競相誹謗他，詛咒他。他對這一切毫不在意，把它們當作蛛絲一樣輕輕拂去，只是在萬不得已時才給以回敬。現在他逝世了，在整個歐洲和美洲，從西伯利亞礦井到加利福尼亞，千百萬革命戰友無不對他表示尊敬、愛戴和悼念，而我敢大膽地說:他可能有過許多敵人，但未必有一個私敵。

他的英名和事業將永垂不朽！

（恩格斯《在馬克思墓前的講話》，《馬克思恩格斯選集》第 3 卷，人民出版社 1995 年版）

編選説明 •••

1883 年 3 月 17 日，偉大的革命導師馬克思的葬禮在倫敦郊區的海格特公墓舉行。當馬克思生前好友哥雷姆克代表《社會民主黨人報》和「倫敦共產主義工人教育協會」向馬克思的遺體敬獻花圈以後，恩格斯在葬禮上用英語發表了這篇演說。這篇講話對馬克思的逝世表示了深切的悼念，對馬克思生前為無產階級作出的偉大貢獻給予了崇高的評價和熱情的讚頌。

恩格斯

國家是社會在一定發展階段上的產物

前面我們已經分別考察了國家在氏族制度的廢墟上興起的三種主要形式。雅典是最純粹、最典型的形式：在這裏，國家是直接地和主要地從氏族社會本身內部發展起來的階級對立中產生的。在羅馬，氏族社會變成了封閉的貴族制，它的四周則是人數眾多的、站在這一貴族制之外的、沒有權利只有義務的平民；平民的勝利炸毀了舊的血族制度，並在它的廢墟上面建立了國家，而氏族貴族和平民不久便完全融化在國家中了。最後，在戰勝了羅馬帝國的德意志人中間，國家是直接從征服廣大外國領土中產生的，氏族制度不能提供任何手段來統治這樣廣闊的領土。但是，由於同這種征服相聯繫的，既不是跟舊有居民的嚴重鬥爭，也不是更加進步的分工；由於被征服者和征服者差不多處於同一經濟發展階段，從而社會的經濟基礎依然如故，所以，氏族制度能夠以改變了的、地區的形式，即以瑪律剋制度的形式，繼續存在幾個世紀，甚至在以後的貴族血族和城市望族的血族中，甚至在農民的血族中，例如在迪特馬申，還以削弱了的形式復興了一個時期。

可見，國家決不是從外部強加於社會的一種力量。國家也不像黑格爾所斷言的是「倫理觀念的現實」，「理性的形象和現實」。確切說，國家是社會在一定發展階段上的產物；國家是承認：這個社會陷入了不可解決的自我矛盾，分裂為不可調和的對立面而又無力擺脫這些對立面。而為了使這些對立面，這些經濟利益互相衝突的階級，不致在無謂的鬥爭中把自己和社會消滅，就需要有一種表面上凌駕於社會之上的力量，這種力量應當緩和衝突，把衝突保持在「秩序」的範圍以內；這種從社會中產生但又自居於社會之上並且日益同社會相異化的力量，就是國家。

國家和舊的氏族組織不同的地方，第一點就是它按地區來劃分它的國民。正如我們所看到的，由血緣關係形成和聯結起來的舊的氏族公社已經很不夠了，這多半是因為它們是以氏族成員被束縛在一定地區為前提的，而這種束縛早已不復存在。地區依然，但人們已經是流動的了。因此，按地區來劃分就被作為出發點，並允許公民在他們居住的地方實現他們的公共權利和義務，不管他們屬於哪一氏族或哪一部落。這種按照居住地組織國民的辦法是一切國家共同的。因此，我們才覺得這種辦法很自然；但是我們已經看到，當它在雅典和羅馬能夠代替按血族來組織的舊辦法以前，曾經需要進行多麼頑強而長久的鬥爭。

第二個不同點，是公共權力的設立，這種公共權力已經不再直接就是自己組織為武裝力量的居民了。這個特殊的公共權力之所以需要，是因為自從社會分裂為階級以後，居民的自動的武裝組織已經成為不可能了。

……

由於國家是從控制階級對立的需要中產生，由於它同時又是在這些階級的衝突中產生的，所以，它照例是最強大的、在經濟上占統治地位的階級的國家，這個階級借助於國家而在政治上也成為占統治地位的階級，因而獲得了鎮壓和剝削被壓迫階級的新手段。

……

所以，國家並不是從來就有的。曾經有過不需要國家、而且根本不知國家和國家權力為何物的社會。在經濟發展到一定階段而必然使社會分裂為階級時，國家就由於這種分裂而成為必要了。現在我們正在以迅速的步伐走向這樣的生產發展階段，在這個階段上，這些階級的存在不僅不再必要，而且成了生產的真正障礙。階級不可避免地要消失，正如它們從前不可避免地產生一樣。隨著階級的消失，國家也不可避免地要消失。在生產者自由平等的聯合體的基礎上按新方式來組織生產的社會，將把全部國家機器放到它應該去的地方，即放到古物陳列館去，同紡車和青銅斧陳列在一起。

（節選自恩格斯《家庭、私有制和國家的起源》，《馬克思恩格斯選集》第4卷，人民出版社1995年版）

編選說明 ●●●

《家庭、私有制和國家的起源》，是弗里德里希·恩格斯的一部關於古代社會發展規律和國家起源的著作。該書研究了史前各文化階段與家庭的起源、演變和發展，著重論述了人類史前各階段文化的特徵、早期的婚姻和從原始狀態中發展出來的家庭形式，分析了原始社會解體的過程和私有制、階級的產生，揭示了國家的起源、階級本質及發展和消亡的規律。

列寧

激發創作熱情的是社會主義思想和對勞動人民的同情

黨的出版物的這個原則是什麼呢？這不只是說，對於社會主義無產階級，寫作事業不能是個人或集團的賺錢工具，而且根本不能是與無產階級總的事業無關的個人事業。無黨性的寫作者滾開！超人的寫作者滾開！寫作事業應當成為整個無產階級事業的一部分，成為由整個工人階級的整個覺悟的先鋒隊所開動的一部巨大的社會民主主義機器的「齒輪和螺絲釘」。寫作事業應當成為社會民主黨有組織的、有計劃的、統一的黨的工作的一個組成部分。

德國俗語說：「任何比喻都是有缺陷的。」我把寫作事業比作螺絲釘，把生氣勃勃的運動比作機器也是有缺陷的。也許，甚至會有一些歇斯底里的知識分子對這種比喻大叫大嚷，說這樣就把自由的思想鬥爭、批評的自由、創作的自由等等貶低了、僵化了、「官僚主義化了」。實質上，這種叫嚷只能是資產階級知識分子個人主義的表現。無可爭論，寫作事業最不能作機械劃一，強求一律，少數服從多數。無可爭論，在這個事業中，絕對必須保證有個人創造性和個人愛好的廣闊天地，有思想和幻想、形式和內容的廣闊天地。這一切都是無可爭論的，可是這一切只證明，無產階級的黨的事業中寫作事業這一部分，不能同無產階級的黨的事業的其它部分刻板地等同起來。這一切決沒有推翻那個在資產階級和資產階級民主派看來是格格不入的和奇怪的原理，即寫作事業無論如何必須成為同其它部分緊密聯繫著的社會民主黨工作的一部分。報紙應當成為各個黨組織的機關報。寫作者一定要參加到各個黨組織中去。出版社和發行所、書店和閱覽室、圖書館和各種書報營業所，都應當成為黨的機構，向黨報告工作情況。有組織的社會主義無產階級，應當注視這一切工作，監督這一切工作，把生氣勃勃的無產階級事業的生氣勃勃的精神，帶到這一切工作中去，無一例外，從而使「作家管寫，讀者管讀」這個俄國古老的、半奧勃洛摩夫式的、半商業性的原則完全沒有立足之地。

自然，我們不是說，被亞洲式的書報檢查制度和歐洲的資產階級所玷污了的寫作事業的這種改造，一下子就能完成。我們決不是宣傳某種劃一的體制或者宣傳用幾個決定來解決任務。不，在這個領域裏是最來不得公式主義的。問題在於使我們全黨，使俄國整個覺悟的社會民主主義無產階級，都認識到這個新任務，明確地提出這個新任務，到處著手解決這個新任務。擺脫了農奴制的書報檢查制度的束縛以後，我們不願意而且也不會去當寫作上的資產階級買賣關係的俘虜。我們要創辦自由的報刊而且我們一定會創辦起來，所謂自由的報刊是指它不僅擺脫了員警的壓迫，而且擺脫了資本，擺脫了名位主義，甚至也擺脫了資產階級無政府主義的個人主義。

最後這一句話似乎是奇談怪論或是對讀者的嘲弄。怎麼！也許某個熱烈擁護自由的知識分子會叫喊起來。怎麼！你們想使創作這樣精緻的個人事業服從於集體！你們想使工人們用多數票來解決科學、哲學、美學的問題！你們否認絕對個人的思想創作的絕對自由！

安靜些，先生們！第一，這裏說的是黨的出版物和它應受黨的監督。每個人都有自由寫他所願意寫的一切，說他所願意說的一切，不受任何限制。但是每個自由的團體（包括黨在內），同樣也有自由趕走利用黨的招牌來鼓吹反黨觀點的人。言論和出版應當有充分的自由。但是結社也應當有充分的自由。為了言論自由，我應該給你完全的權利讓你隨心所欲地叫喊、扯謊和寫作。但是，為了結社的自由，你必須給我權利同那些說這說那的人結成聯盟或者分手。黨是自願的聯盟，假如它不清洗那些宣傳反黨觀點的黨員，它就不可避免地會瓦解，首先在思想上瓦解，然後在物質上瓦解。確定黨的觀點和反黨觀點的界限的，是黨綱，是黨的策略決議和黨章，最後是國際社會民主黨，各國的無產階級自願聯盟的全部經驗，無產階級經常把某些不十分徹底的、不完全是純粹馬克思主義的、不十分正確的分子或流派吸收到自己黨內來，但也經常地定期「清洗」自己的黨。擁護資產階級「批評自由」的先生們，在我們黨內，也要這樣做，因為現在我們的黨立即會成為群眾性的黨，現在我們處在急劇向公開組織轉變的時刻，現在必然有許多不徹底的人（從馬克思主義觀點看來），也許甚至有某些基督教徒，也許甚至有某些神秘主義者會參加我們的黨。我們有結實的胃，我們是堅如磐石的馬克思主義者。我們將消化這些不徹底的人。黨內的思想自由和批評自由永遠不會使我們忘記人們有結合成叫作黨的自由團體的自由。

第二，資產階級個人主義者先生們，我們應當告訴你們，你們那些關於絕對自由的言論不過是一種偽善而已。在以金錢勢力為基礎的社會中，在廣大勞動者一貧如洗而一小撮富人過著寄生生活的社會中，不可能有實際的和真正的「自由」。作家先生，你能離開你的資產階級出版家而自由嗎？你能離開那些要求你作誨淫的小說和圖畫、用賣淫來「補充」「神聖」舞臺藝術的資產階級公眾而自由嗎？要知道這種絕對自由是資產階級的或者說是無政府主義的空話（因為無政府主義作為世界觀是改頭換面的資產階級思想）。生活在社會中卻要離開社會而自由，這是不可能的。資產階級的作家、畫家和女演員的自由，不過是他們依賴錢袋、依賴收買和依賴豢養的一種假面具（或一種偽裝）罷了。

我們社會主義者揭露這種偽善行為，摘掉這種假招牌，不是為了要有非階級的文學和藝術（這只有在社會主義的沒有階級的社會中才有可能），而是為了要用真正自由的、公開同無產階級相聯繫的寫作，去對抗偽裝自由的、事實上同資產階級相聯繫的寫作。

這將是自由的寫作，因為把一批又一批新生力量吸引到寫作隊伍中來的，不是私利貪欲，也不是名譽地位，而是社會主義思想和對勞動人民的同情。這將是自由的寫作，因為它不是為飽食終日的貴婦人服務，不是為百無聊賴、胖得發愁的「一萬個上層分子」服務，而是為千千萬萬勞動人民，為這些國家的精華、國家的力量、國家的未來服務。這將是自由的寫作，它要用社會主義無產階級的經驗和生氣勃勃的工作去豐富人類革命思想的最新成就，它要使過去的經驗（從原始空想的社會主義發展而成的科學社會主義）和現在的經驗（工人同志們當前的鬥爭）之間經常發生相互作用。

（節選自列寧《黨的組織和黨的出版物》，《列寧選集》第 1 卷，

人民出版社 1995 年版）

編選說明 ●●●

十月革命以後在俄國造成的社會民主黨工作的新條件，使黨的出版物問題提到日程上來了。為加強黨的宣傳工作，並劃清無產階級出版物和一切剝削階級出版物的界限，批判和抵制資產階級、機會主義思想影響，發展無產階級報刊出版事業，列寧科學論述了黨的出版物的原則，分別從黨的組織原則、從資產階級自由的虛假性、擺脱資產階級奴役三個方面批判了資產階級的「創作絕對自由」論，並提出：只有貫徹了黨的出版物原則，寫作事業才能「公開同無產階級相聯繫」，與真正先進的、徹底革命的階級的運動匯合起來，推動無產階級事業不斷進步。

恩格斯

沒有革命的理論，就不會有革命的運動

社會民主黨應當從主張社會革命的政黨，變成主張社會改良的民主黨。伯恩施坦提出了一大套頗為頭頭是道的「新」論據和「新」理由，來為這個政治要求辯護。他否認有可能科學地論證社會主義和根據唯物主義歷史觀證明社會主義的必要性和必然性；他否認大眾日益貧困、日益無產階級化以及資本主義矛盾日益尖銳化的事實；他宣稱「最終目的」這個概念本身就不能成立，並絕對否定無產階級專政的思想；他否認自由主義和社會主義在原則上的對立；他否認階級鬥爭理論，認為這個理論好像不適用於按照多數人意志進行管理的嚴格意義上的民主的社會，等等。

……

自由是個偉大的字眼，但正是在工業自由的旗幟下進行過最具有掠奪性的戰爭，在勞動自由的旗幟下掠奪過勞動者。現在使用的「批評自由」一詞，同樣也包含著這種內在的虛偽性。假如人們真正確信自己把科學向前推進了，那他們就不會要求新觀點同舊觀點並列的自由，而會要求用新觀點代替舊觀點。現在這種「批評自由萬歲！」的叫嚷太像那個關於空桶的寓言了。

……

由此可見，所謂反對思想僵化等等的響亮詞句，只不過是用來掩

飾人們對理論思想發展的冷淡和無能。俄國社會民主黨人的例子非常明顯地說明了全歐洲的普遍現象（這是德國馬克思主義者也早已指出了的現象）：臭名遠揚的批評自由，並不是用一種理論來代替另一種理論，而是自由地拋棄任何完整的和周密的理論，是折中主義和無原則性。凡是稍微瞭解我國運動的實際情況的人，都不能不看到，隨著馬克思主義的廣泛傳播，理論水準有了某種程度的降低。有不少理論修養很差甚至毫無理論修養的人，由於看見運動有實際意義和實際成效而加入了運動。由此可見，《工人事業》得意揚揚地提出馬克思的一句名言——「一步實際運動比一打綱領更重要」，是多麼不合時宜。在理論混亂的時代來重複這句話，就如同在看到人家送葬時高喊「但願你們拉也拉不完」一樣。而且上面馬克思的這句話，是從他評論哥達綱領的信裏摘引來的，馬克思在信裏嚴厲地斥責了人們在說明原則時的折中主義態度。馬克思寫信給黨的領袖們說，如果需要聯合，那麼為了達到運動的具體目標，可以締結協定，但是決不能拿原則來做交易，決不要作理論上的「讓步」。馬克思的意思就是這樣。而我們這裏卻有人假借馬克思的名義來竭力貶低理論的意義！

沒有革命的理論，就不會有革命的運動。在醉心於最狹隘的實際活動的偏向同時髦的機會主義說教結合在一起的情況下，必須始終堅持這種思想。……現在我們只想指出一點，就是只有以先進理論為指南的黨，才能實現先進戰士的作用。

（節選自列寧《怎麼辦？》，《列寧選集》第 1 卷，人民出版社 1995 年版）

編選說明 ●●●

1895年恩格斯逝世後，第二國際逐步發展成為以伯恩施坦為代表的系統的修正主義。這個時期，以列寧為首的俄國馬克思主義者積極開展了反對第二國際修正主義的鬥爭。1901年底到1902年初，列寧寫出了名著《怎麼辦彝》一書。《怎麼辦彝》是列寧對當時俄國社會民主黨內的機會主義進行系統批判的論戰性著作，科學闡明了無產階級革命鬥爭中的領導作用，為在俄國建立一個革命政黨掃清了思想障礙，為黨的建設提供了強大的思想武器。

列寧

馬克思的全部天才在於他回答了人類先進思想提出的種種問題

馬克思學說在整個文明世界中引起全部資產階級科學（官方科學和自由派科學）極大的仇視和憎恨，這種科學把馬克思主義看作某種「有害的宗派」。也不能期望有別的態度，因為建築在階級鬥爭上的社會是不可能有「公正的」社會科學的。全部官方的和自由派的科學都這樣或那樣地為雇傭奴隸制辯護，而馬克思主義則對這種奴隸制宣佈了無情的戰爭。期望在雇傭奴隸制的社會裏有公正的科學，正像期望廠主在應不應該減少資本利潤來增加工人工資的問題上會採取公正態度一樣，是愚蠢可笑的。

不僅如此，哲學史和社會科學史都十分清楚地表明：馬克思主義同「宗派主義」毫無相似之處，它絕不是離開世界文明發展大道而產生的一種故步自封、僵化不變的學說。恰恰相反，馬克思的全部天才正是在於他回答了人類先進思想已經提出的種種問題。他的學說的產生正是哲學、政治經濟學和社會主義極偉大的代表人物的學說的直接繼續。

馬克思學說具有無限力量，就是因為它正確。它完備而嚴密，它給人們提供了決不同任何迷信、任何反動勢力、任何為資產階級壓迫所作的辯護相妥協的完整的世界觀。馬克思學說是人類在 19 世紀所創造的優秀成果——德國的哲學、英國的政治經濟學和法國的社會主義的當然繼承者。

現在我們就來簡短地說明一下馬克思主義的這三個來源以及它的三個組成部分。

一

馬克思主義的哲學就是唯物主義。……馬克思和恩格斯最堅決地捍衛了哲學唯物主義，並且多次說明，一切離開這個基礎的傾向都是極端錯誤的。在恩格斯的著作《路德維希·費爾巴哈》和《反杜林論》裏最明確最詳盡地闡述了他們的觀點，這兩部著作同《共產黨宣言》一樣，都是每個覺悟工人必讀的書籍。

但是，馬克思並沒有停止在 18 世紀的唯物主義上，而是把哲學向前推進了。他用德國古典哲學的成果，特別是用黑格爾體系（它又導致了費爾巴哈的唯物主義）的成果豐富了哲學。這些成果中主要的就是辯證法，即最完備最深刻最無片面性的關於發展的學說，這種學說認為反映永恆發展的物質的人類知識是相對的。不管那些「重新」回到陳腐的唯心主義那裏去的資產階級哲學家的學說怎樣說，自然科學的最新發現，如鐳、電子、元素轉化，都出色地證實了馬克思的辯證唯物主義。

馬克思加深和發展了哲學唯物主義，而且把它貫徹到底，把它對自然界的認識推廣到對人類社會的認識。馬克思的歷史唯物主義是科學思想中的最大成果。過去在歷史觀和政治觀方面占支配地位的那種混亂和隨意性，被一種極其完整嚴密的科學理論所代替，這種科學理論說明，由於生產力的發展，如何從一種社會生活結構中發展出另一種更高級的結構，例如從農奴制中生長出資本主義。

正如人的認識反映不依賴於它而存在的自然界即發展著的物質那樣，人的社會認識（即哲學、宗教、政治等等的不同觀點和學說）反映社會的經濟制度。政治設施是經濟基礎的上層建築。我們看到，例如現代歐洲各國的各種政治形式，都是為鞏固資產階級對無產階級的統治服務的。

馬克思的哲學是完備的哲學唯物主義，它把偉大的認識工具給了人類，特別是給了工人階級。

二

馬克思認為經濟制度是政治上層建築藉以樹立起來的基礎，所以他特別注意研究這個經濟制度。馬克思的主要著作《資本論》就是專門研究現代社會即資本主義社會的經濟制度的。

馬克思以前的古典經濟學是在最發達的資本主義國家英國形成的。亞當·斯密和大衛·李嘉圖通過對經濟制度的研究奠定了勞動價值論的基礎。馬克思繼續了他們的事業。他嚴密地論證了並且徹底地發展了這個理論。他證明：任何一個商品的價值，都是由生產這個商品所消耗的社會必要勞動時間的數量決定的。

凡是資產階級經濟學家看到物與物之間的關係（商品交換商品）的地方，馬克思都揭示了人與人之間的關係。商品交換表現著各個生產者之間通過市場發生的聯繫。貨幣意味著這一聯繫愈來愈密切，把各個生產者的全部經濟生活不可分割地聯結成一個整體。資本意味著這一聯繫進一步發展：人的勞動力變成了商品。雇傭工人把自己的勞動力出賣給土地、工廠和勞動工具的佔有者。工人用工作日的一部分來抵償維持本人及其家庭生活的開支（工資），工作日的另一部分則是無報酬地勞動，為資本家創造剩餘價值，這也就是利潤的來源，資本家階級財富的來源。

剩餘價值學說是馬克思經濟理論的基石。

工人的勞動所創造的資本壓迫工人，使小業主破產，造成失業大軍。大生產在工業中的勝利是一眼就能看到的，但是在農業中我們也看到同樣的現象：資本主義大農業的優勢日益擴大，採用機器愈來愈廣泛，農民經濟紛紛落入貨幣資本的絞索，由於技術落後而日益衰敗和破產。在農業方面，小生產的衰敗的形式雖然不同，但是它的衰敗也是無可爭辯的事實。

資本打擊小生產，同時使勞動生產率不斷提高，並且造成大資本家同盟的壟斷地位。生產本身日益社會化，使幾十萬以至幾百萬工人聯結成一個有條不紊的經濟機體，而共同勞動的產品卻被一小撮資本家所佔有。生產的無政府狀態愈來愈嚴重，危機日益加深，爭奪市場的鬥爭愈來愈瘋狂，人民群眾的生活愈來愈沒有保障。

資本主義制度在使工人愈來愈依賴資本的同時，創造著聯合勞動的偉大力量。

馬克思考察了資本主義的發展過程，從商品經濟的最初萌芽，從簡單的交換一直到資本主義的高級形式，到大生產。

一切資本主義國家（無論老的或新的）的經驗，使工人中一年比一年多的人清楚地看到了馬克思這一學說的正確性。

資本主義在全世界獲得了勝利，但是這一勝利不過是勞動對資本的勝利的前階。

三

當農奴制被推翻，「自由」資本主義社會出現的時候，一下子就暴露出這種自由意味著壓迫和剝削勞動者的一種新制度。於是反映這種壓迫和反對這種壓迫的各種社會主義學說就立刻產生了。但是最初的社會主義是空想社會主義。這種社會主義批判資本主義社會，譴責它，咒　它，幻想消滅它，臆想較好的制度，勸富人相信剝削是不道德的。

但是空想社會主義沒有能夠指出真正的出路。它既不會闡明資本主義制度下雇傭奴隸制的本質，又不會發現資本主義發展的規律，也不會找到能夠成為新社會的創造者的社會力量。

然而，在歐洲各國，特別是在法國，導致封建制度即農奴制崩潰的洶湧澎湃的革命，卻日益明顯地揭示了階級鬥爭是整個發展的基礎和動力。

戰勝農奴主階級而贏得政治自由，沒有一次不遇到拚命的反抗。沒有一個資本主義國家，不是經過資本主義社會各階級間你死我活的鬥爭，才在比較自由和民主的基礎上建立起來。

馬克思的天才就在於他最先從這裏得出了全世界歷史所提示的結論，並且徹底地貫徹了這個結論。這個結論就是階級鬥爭學說。

只要人們還沒有學會透過任何有關道德、宗教、政治和社會的言論、聲明、諾言，揭示出這些或那些階級的利益，那他們始終是而且會永遠是政治上受人欺騙和自己欺騙自己的愚蠢的犧牲品。只要那些主張改良和改善的人還不懂得，任何一箇舊設施，不管它怎樣荒謬和腐敗，都由某些統治階級的勢力在支撐著，那他們總是會受舊事物擁護者的愚弄。要粉碎這些階級的反抗，只有一個辦法，就是必須在我們所處的社會中找出一種力量，教育它和組織它去進行鬥爭，這種力量可以（而且按它的社會地位來說應當）成為能夠除舊立新的力量。

只有馬克思的哲學唯物主義，才給無產階級指明了如何擺脫一切被壓迫階級至今深受其害的精神奴役的出路。只有馬克思的經濟理論，才闡明了無產階級在整個資本主義制度中的真正地位。

在全世界，從美洲到日本，從瑞典到南非，無產階級的獨立組織正在不斷增加。無產階級一面進行階級鬥爭，一面受到啟發和教育，他們逐漸擺脫資產階級社會的偏見，日益緊密地團結起來並且學習怎樣衡量自己的成績，他們正在鍛鍊自己的力量並且在不可遏止地成長壯大。

（節選自列寧《馬克思主義的三個來源和三個組成部分》，《列寧選集》第 2 卷，人民出版社 1995 年版）

編選說明 ●●●

該文是為紀念馬克思逝世三十週年而寫的，發表於 1913 年 3 月《啟蒙》雜誌第 3 期，較為系統地論述了馬克思主義理論的淵源、體系和實質，指出馬克思主義是完整的科學體系，說明馬克思主義不是離開世界文明發展大道而產生的封閉僵化的學說，而是批判地繼承和發展了人類文明的優秀成果，回答了人類先進思想提出的種種問題，有助於我們瞭解馬克思主義的形成過程和馬克思主義不斷戰勝敵對思潮與克服馬克思主義運動內部的各種錯誤傾向而發展的過程。

列寧

科學揭示國家的本質

馬克思的學說在今天的遭遇，正如歷史上被壓迫階級在解放鬥爭中的革命思想家和領袖的學說常有的遭遇一樣。當偉大的革命家在世時，壓迫階級總是不斷迫害他們，以最惡毒的敵意、最瘋狂的仇恨、最放肆的造謠和誹謗對待他們的學說。在他們逝世以後，便試圖把他們變為無害的神像，可以說是把他們偶像化，賦予他們的名字某種榮譽，以便「安慰」和愚弄被壓迫階級，同時卻閹割革命學說的內容，磨去它的革命鋒芒，把它庸俗化。現在資產階級和工人運動中的機會主義者在對馬克思主義作這種「加工」的事情上正一致起來。他們忘記、抹殺和歪曲這個學說的革命方面，革命靈魂。他們把資產階級可以接受或者覺得資產階級可以接受的東西放在第一位來加以頌揚。現在，一切社會沙文主義者都成了「馬克思主義者」，這可不是說著玩的！那些德國的資產階級學者，昨天還是剿滅馬克思主義的專家，現在卻愈來愈頻繁地談論起「德意志民族的」馬克思來了，似乎馬克思培育出了為進行掠奪戰爭而組織得非常出色的工人聯合會！

在這種情況下，在對馬克思主義的種種歪曲空前流行的時候，我們的任務首先就是要恢復真正的馬克思的國家學說。為此，必須大段大段地引證馬克思和恩格斯本人的著作。當然，大段的引證會使文章冗長，並且絲毫無助於通俗化。但是沒有這樣的引證是絕對不行的。

馬克思和恩格斯著作中所有談到國家問題的地方，至少一切有決定意義的地方，一定要盡可能完整地加以引證，使讀者能夠獨立地瞭解科學社會主義創始人的全部觀點以及這些觀點的發展，同時也是為了確鑿地證明並清楚地揭示現在占統治地位的「考茨基主義」對這些觀點的歪曲。

……

這一段話十分清楚地表達了馬克思主義關於國家的歷史作用和意義這一問題的基本思想。國家是階級矛盾不可調和的產物和表現。在階級矛盾客觀上不能調和的地方、時候和條件下，便產生國家。反過來說，國家的存在證明階級矛盾不可調和。

對馬克思主義的歪曲正是從這最重要的和根本的一點上開始的，這種歪曲來自兩個主要方面。

一方面，資產階級的思想家，特別是小資產階級的思想家——他們迫於無可辯駁的歷史事實不得不承認，只有存在階級矛盾和階級鬥爭的地方才有國家——這樣來「稍稍糾正」馬克思，把國家說成是階級調和的機關。在馬克思看來，如果階級調和是可能的話，國家既不會產生，也不會保持下去。而照市儈和庸人般的教授和政論家們說來（往往還善意地引用馬克思的話作根據！），國家正是調和階級的。在馬克思看來，國家是階級統治的機關，是一個階級壓迫另一個階級的機關，是建立一種「秩序」來抑制階級衝突，使這種壓迫合法化、固定化。在小資產階級政治家看來，秩序正是階級調和，而不是一個階級對另一個階級的壓迫；抑制衝突就是調和，而不是剝奪被壓迫階級用來推翻壓迫者的一定的鬥爭手段和鬥爭方式。

（節選自列寧《國家與革命》，《列寧選集》第 3 卷，人民出版社 1995 年版）

編選說明 ●●●

《國家與革命》是列寧在十月革命前夕撰寫的一部關於馬克思主義國家學說的經典著作。該書系統地闡述了馬克思主義的國家學說，特別是無產階級專政的學說，批判了第二國際機會主義的反動國家觀，是最完整、最集中論述國家問題的馬克思主義重要著作，清除了機會主義對馬克思主義國家學說的歪曲，是馬克思主義關於國家與法的學說發展中的一個重要里程碑，在指導俄國蘇維埃政權建設中發揮了重要作用，對中國革命和中國社會主義建設也產生過重要影響。

毛澤東

中國的紅色政權為什麼能夠存在？（節選）

一國之內，在四圍白色政權的包圍中，有一小塊或若干小塊紅色政權的區域長期地存在，這是世界各國從來沒有的事。這種奇事的發生，有其獨特的原因。而其存在和發展，亦必有相當的條件。第一，它的發生不能在任何帝國主義的國家，也不能在任何帝國主義直接統治的殖民地，必然是在帝國主義間接統治的經濟落後的半殖民地的中國。因為這種奇怪現象必定伴著另外一件奇怪現象，那就是白色政權之間的戰爭。帝國主義和國內買辦豪紳階級支持著的各派新舊軍閥，從民國元年以來，相互間進行著繼續不斷的戰爭，這是半殖民地中國的特徵之一。不但全世界帝國主義國家沒有一國有這種現象，就是帝國主義直接統治的殖民地也沒有一處有這種現象，僅僅帝國主義間接統治的中國這樣的國家才有這種現象。這種現象產生的原因有兩種，即地方的農業經濟（不是統一的資本主義經濟）和帝國主義劃分勢力範圍的分裂剝削政策。因為有了白色政權間的長期的分裂和戰爭，便給了一種條件，使一小塊或若干小塊的共產黨領導的紅色區域，能夠在四圍白色政權包圍的中間發生和堅持下來。湘贛邊界的割據，就是這許多小塊中間的一小塊。有些同志在困難和危急的時候，往往懷疑這樣的紅色政權的存在，而發生悲觀的情緒。這是沒有找出這種紅色政權所以發生和存在的正確的解釋的緣故。我們只須知道中國白色政權的分裂和戰爭是繼續不斷的，則紅色政權的發生、存在並且日益發展，便是無疑的了。第二，中國紅色政權首先發生和能夠長期地存在的地方，不是那種並未經過民主革命影響的地方，例如四川、貴州、雲南及北方各省，而是在一九二六和一九二七兩年資產階級民主革命過程中工農兵士群眾曾經大大地起來過的地方，例如湖南、廣東、湖北、江西等省。這些省份的許多地方，曾經有過很廣大的工會和農民協會的組織，有過工農階級對地主豪紳階級和資產階級的許多經濟的政治的鬥爭。所以廣州產生過三天的城市民眾政權，而海陸豐、湘東、湘南、湘贛邊界、湖北的黃安等地都有過農民的割據。至於此刻的紅軍，也是由經過民主的政治訓練和接受過工農群眾影響的國民革命軍中分化出來的。那些毫未經過民主的政治訓練、毫未接受過工農影響的軍隊，例如閻錫山、張作霖的軍隊，此時便決然不能分化出可以造成紅軍的成分來。第三，小地方民眾政權之能否長期地存在，則決定於全國革命形勢是否向前發展這一個條件。全國革命形勢是向前發展的，則小塊紅色區域的長期存在，不但沒有疑義，而且必然地要作為取得全國政權的許多力量中間的一個力量。全國革命形勢若不是繼續地向前發展，而有一個比較長期的停頓，則小塊紅色區域的長期存在是不可能的。現在中國革命形勢是跟著國內買辦豪紳階級和國際資產階級的繼續的分裂和戰爭，而繼續地向前發展的。所以，不但小塊紅色區域的長期存在沒有疑義，而且這些紅色區域將繼續發展，日漸接近於全國政權的取得。第四，相當力量的正式紅軍的存在，是紅色政權存在的必要條件。若只有地方性質的赤衛隊而沒有正式的紅軍，則只能對付挨戶團，而不能對付正式的白色軍隊。所以雖有很好的工農群眾，若沒有相當力量的正式武裝，便決然不能造成割據局面，更不能造成長期的和日益發展的割據局面。所以「工農武裝割據」的思想，是共產黨和割據地方的工農群眾必須充分具備的一個重要的思想。第五，紅色政權的長期的存在並且發展，除了上述條件之外，還須有一個要緊的條件，就是共產黨組織的有力量和它的政策的不錯誤。

（節選自毛澤東《中國的紅色政權為什麼能夠存在？》，《毛澤東選集》第 1 卷，人民出版社 1991 年版）

編選說明 ●●●

《中國的紅色政權為什麼能夠存在？》是一九二八年十月五日毛澤東為中共湘贛邊界第二次代表大會寫的決議的一部分，原題為《政治問題和邊界黨的任務》。該文在對「紅色政權為什麼會長期存在」的分析基礎上，提出了關於「工農武裝割據」的重要思想。它是形成農村包圍城市道路理論的前提和基礎，又是農村包圍城市道路理論的重要組成部分，成為毛澤東思想形成的重要組成部分之一。

毛澤東

星星之火，可以燎原（節選）

在對於時局的估量和伴隨而來的我們的行動問題上，我們黨內有一部分同志還缺少正確的認識。他們雖然相信革命高潮不可避免地要到來，卻不相信革命高潮有迅速到來的可能。因此他們不贊成爭取江西的計劃，而只贊成在福建、廣東、江西之間的三個邊界區域的流動游擊，同時也沒有在游擊區域建立紅色政權的深刻的觀念，因此也就沒有用這種紅色政權的鞏固和擴大去促進全國革命高潮的深刻的觀念。他們似乎認為在距離革命高潮尚遠的時期做這種建立政權的艱苦工作為徒勞，而希望用比較輕便的流動游擊方式去擴大政治影響，等到全國各地爭取群眾的工作做好了，或做到某個地步了，然後再來一個全國武裝起義，那時把紅軍的力量加上去，就成為全國範圍的大革命。他們這種全國範圍的、包括一切地方的、先爭取群眾後建立政權的理論，是於中國革命的實情不適合的。他們的這種理論的來源，主要是沒有把中國是一個許多帝國主義國家互相爭奪的半殖民地這件事認清楚。如果認清了中國是一個許多帝國主義國家互相爭奪的半殖民地，則一，就會明白全世界何以只有中國有這種統治階級內部互相長期混戰的怪事，而且何以混戰一天激烈一天，一天擴大一天，何以始終不能有一個統一的政權。二，就會明白農民問題的嚴重性，因之，也就會明白農村起義何以有現在這樣的全國規模的發展。三，就會明白工農民主政權這個口號的正確。四，就會明白相應於全世界只有中國有統治階級內部長期混戰的一件怪事而產生出來的另一件怪事，即紅軍和游擊隊的存在和發展，以及伴隨著紅軍和游擊隊而來的，成長於四圍白色政權中的小塊紅色區域的存在和發展（中國以外無此怪事）。五，也就會明白紅軍、游擊隊和紅色區域的建立和發展，是半殖民地中國在無產階級領導之下的農民鬥爭的最高形式，和半殖民地農民鬥爭發展的必然結果；並且無疑義地是促進全國革命高潮的最重要因素。六，也就會明白單純的流動游擊政策，不能完成促進全國革命高潮的任務，而朱德毛澤東式、方志敏式之有根據地的，有計劃地建設政權的，深入土地革命的，擴大人民武裝的路線是經由鄉赤衛隊、區赤衛大隊、縣赤衛總隊、地方紅軍直至正規紅軍這樣一套辦法的，政權發展是波浪式地向前擴大的，等等的政策，無疑義地是正確的。……

……

所謂革命高潮快要到來的「快要」二字作何解釋，這點是許多同志的共同的問題。馬克思主義者不是算命先生，未來的發展和變化，只應該也只能說出個大的方向，不應該也不可能機械地規定時日。但我所說的中國革命高潮快要到來，決不是如有些人所謂「有到來之可能」那樣完全沒有行動意義的、可望而不可即的一種空的東西。它是站在海岸遙望海中已經看得見桅杆尖頭了的一隻航船，它是立於高山之巔遠看東方已見光芒四射噴薄欲出的一輪朝日，它是躁動於母腹中的快要成熟了的一個嬰兒。

（節選自毛澤東《星星之火，可以燎原》，《毛澤東選集》第 2

卷，人民出版社 1991 年版）

編選說明 ●●●

一九三〇年一月五日，針對紅四軍第一縱隊司令員林彪的右傾悲觀思想，毛澤東給他寫了覆信，即《星星之火，可以燎原》。信中對林彪以及共產黨和紅軍內部的右傾悲觀思想作了分析和批評，並結合紅軍和中國革命發展的實際，從中國社會的基本特點出發，闡明了中國革命必須堅持創建農村革命根據地，必須用紅軍和農村革命根據地的發展促進全國革命高潮的基本思想，指明了中國革命的前途。這封信進一步發展了「工農武裝割據」的思想，標誌著毛澤東關於「以農村包圍城市，最後奪取全國勝利」的革命理論的基本形成。

毛澤東

沒有調查，就沒有發言權

一・沒有調查，沒有發言權

你對於某個問題沒有調查，就停止你對於某個問題的發言權。這不太野蠻了嗎？一點也不野蠻。你對那個問題的現實情況和歷史情況既然沒有調查，不知底裏，對於那個問題的發言便一定是瞎說一頓。瞎說一頓之不能解決問題是大家明瞭的，那麼，停止你的發言權有什麼不公道呢？許多的同志都成天地閉著眼睛在那裏瞎說，這是共產黨員的恥辱，豈有共產黨員而可以閉著眼睛瞎說一頓的嗎？

要不得！

要不得！

注重調查！

反對瞎說！

二・調查就是解決問題

你對於那個問題不能解決嗎？那麼，你就去調查那個問題的現狀和它的歷史吧！你完完全全調查明白了，你對那個問題就有解決的辦法了。一切結論產生於調查情況的末尾，而不是在它的先頭。只有蠢人，才是他一個人，或者邀集一堆人，不作調查，而只是冥思苦索地

「想辦法」，「打主意」。須知這是一定不能想出什麼好辦法，打出什麼好主意的。換一句話說，他一定要產生錯辦法和錯主意。

許多巡視員，許多游擊隊的領導者，許多新接任的工作幹部，喜歡一到就宣佈政見，看到一點表面，一個枝節，就指手畫腳地說這也不對，那也錯誤。這種純主觀地「瞎說一頓」，實在是最可惡沒有的。他一定要弄壞事情，一定要失掉群眾，一定不能解決問題。

許多做領導工作的人，遇到困難問題，只是歎氣，不能解決。他惱火，請求調動工作，理由是「才力小，幹不下」。這是懦夫講的話。邁開你的兩腳，到你的工作範圍的各部分各地方去走走，學個孔夫子的「每事問」，任憑什麼才力小也能解決問題，因為你未出門時腦子是空的，歸來時腦子已經不是空的了，已經載來瞭解決問題的各種必要材料，問題就是這樣子解決了。一定要出門嗎？也不一定，可以召集那些明瞭情況的人來開個調查會，把你所謂困難問題的「來源」找到手，「現狀」弄明白，你的這個困難問題也就容易解決了。

調查就像「十月懷胎」，解決問題就像「一朝分娩」。調查就是解決問題。

三・反對本本主義

以為上了書的就是對的，文化落後的中國農民至今還存著這種心理。不謂共產黨內討論問題，也還有人開口閉口「拿本本來」。我們說上級領導機關的指示是正確的，決不單是因為它出於「上級領導機關」，而是因為它的內容是適合於鬥爭中客觀和主觀情勢的，是鬥爭所需要的。不根據實際情況進行討論和審察，一味盲目執行，這種單純建立在「上級」觀念上的形式主義的態度是很不對的。為什麼黨的策略路線總是不能深入群眾，就是這種形式主義在那裏作怪。盲目地表面上完全無異議地執行上級的指示，這不是真正在執行上級的指示，這是反對上級指示或者對上級指示怠工的最妙方法。

本本主義的社會科學研究法也同樣是最危險的，甚至可能走上反革命的道路，中國有許多專門從書本上討生活的從事社會科學研究的共產黨員，不是一批一批地成了反革命嗎？就是明顯的證據。我們說馬克思主義是對的，決不是因為馬克思這個人是什麼「先哲」，而是因為他的理論，在我們的實踐中，在我們的鬥爭中，證明了是對的。我們的鬥爭需要馬克思主義。我們歡迎這個理論，絲毫不存什麼「先哲」一類的形式的甚至神秘的念頭在裏面。讀過馬克思主義「本本」的許多人，成了革命叛徒，那些不識字的工人常常能夠很好地掌握馬克思主義。馬克思主義的「本本」是要學習的，但是必須同我國的實際情況相結合。我們需要「本本」，但是一定要糾正脫離實際情況的本本主義。

怎樣糾正這種本本主義？只有向實際情況作調查。

四・離開實際調查就要產生唯心的階級估量和唯心的工作指導，

那麼，它的結果，不是機會主義，便是盲動主義

你不相信這個結論嗎？事實要強迫你信。你試試離開實際調查去估量政治形勢，去指導鬥爭工作，是不是空洞的唯心的呢？這種空洞的唯心的政治估量和工作指導，是不是要產生機會主義錯誤，或者盲動主義錯誤呢？一定要弄出錯誤。這並不是他在行動之前不留心計

劃，而是他於計劃之前不留心瞭解社會實際情況，這是紅軍游擊隊裏時常遇見的。那些李逵式的官長，看見弟兄們犯事，就懵懵懂懂地亂處置一頓。結果，犯事人不服，鬧出許多糾紛，領導者的威信也喪失乾淨，這不是紅軍裏常見的嗎？

必須洗刷唯心精神，防止一切機會主義盲動主義錯誤出現，才能完成爭取群眾戰勝敵人的任務。必須努力作實際調查，才能洗刷唯心精神。

（節選自毛澤東《反對本本主義》，《毛澤東選集》第 1 卷，人民出版社 1991 年版）

編選說明 •●●

此文是毛澤東先生一九三〇年五月為反對當時中國工農紅軍中的教條主義思想而寫的關於調查研究問題的重要著作，從認識論高度第一次鮮明地提出「沒有調查，就沒有發言權」，「中國革命鬥爭的勝利要靠中國同志瞭解中國情況」等著名論斷，闡明了社會調查的重要意義，以及調查的目的、對象、內容、方法和一些技術細節，表達了學習馬克思主義必須同中國的實際情況相結合的思想，是辯證唯物主義認識論在實際工作中的具體運用和生動概括，是應用馬克思主義從事社會調查，同主觀主義特別是教條主義作鬥爭的歷史經驗的科學總結。

毛澤東

抗日根據地的政權問題（節選）

（二）在抗日時期，我們所建立的政權的性質，是民族統一戰線的。這種政 權，是一切贊成抗日又贊成民主的人們的政權，是幾個革命階級聯合起來對於漢奸和反動派的民主專政。它是和地主資產階級的反革命專政區別的，也和土地革命時期的工農民主專政有區別。對於這種政權性質的明確瞭解和認真執行，將大有助於全國民主化的推動。過左和過右，均將給予全國人民以極壞的影響。

……

（四）根據抗日民族統一戰線政權的原則，在人員分配上，應規定為共產黨 員占三分之一，非黨的左派進步分子占三分之一，不左不右的中間派占三分之一。

（五）必須保證共產黨員在政權中佔領導地位，因此，必須使占三分之一的共產黨員在品質上具有優越的條件。只要有了這個條件，就可以保證黨的領導權，不必有更多的人數。所謂領導權，不是要一天到晚當作口號去高喊，也不是盛氣淩人地要人家服從我們，而是以黨的正確政策和自己的模範工作，說服和教育黨外人士，使他們願意接受我們的建議。

（六）必須使黨外進步分子占三分之一，因為他們聯繫著廣大的小資產階級群眾。我們這樣做，對於爭取小資產階級將有很大的影響。

（七）給中間派以三分之一的位置，目的在於爭取中等資產階級和開明紳士。這些階層的爭取，是孤立頑固派的一個重要的步驟。目前我們決不能不顧到這些階層的力量，我們必須謹慎地對待他們。

（八）對於共產黨以外的人員，不問他們是否有黨派關係和屬於何種黨派， 只要是抗日的並且是願意和共產黨合作的，我們便應以合作的態度對待他們。

（九）上述人員的分配是黨的真實的政策，不能敷衍塞責。為著執行這個政 策，必須教育擔任政權工作的黨員，克服他們不願和不慣同黨外人士合作的狹隘 性，提倡民主作風，遇事先和黨外人士商量，取得多數同意，然後去做。同時，儘量地鼓勵黨外人士對各種問題提出意見，並傾聽他們的意見。絕不能以為我們有軍隊和政權在手，一切都要無條件地照我們的決定去做，因而不注意去努力說服非黨人士同意我們的意見，並心悅誠服地執行。

（十）上述人員數目的分配是一種大體上的規定，各地須依當地的實際情況 施行，不是要機械地湊足數目字。最下層政權的成分可以酌量變通，防止地主豪 紳鑽進政權機關。政權建立已久的晉察冀邊區、冀中區、太行山區和冀南區，應 照此原則重新審查自己的方針。在建立新的政權時，一概照此原則。

（十一）抗日統一戰線政權的選舉政策，應是凡滿十八歲的贊成抗日和民主 的中國人，不分階級、民族、男女、信仰、黨派、文化程度，均有選舉權和被選舉權。抗日統一戰線政權的產生，應經過人民選舉。其組織形式，應是民主集中制。

（十二）抗日統一戰線政權的施政方針，應以反對日本帝國主義，保護抗日的人民，調節各抗日階層的利益，改良工農的生活和鎮壓漢奸、反動派為基本出發點。

（十三）對參加我們政權的黨外人士的生活習慣和言論行動，不能要求他們和共產黨員一樣，否則將使他們感到不滿和不安。

（節選自毛澤東《抗日根據地的政權問題》，《毛澤東選集》第2卷，人民出版社1991年版）

編選說明 ●●●

此文為毛澤東先生為黨中央起草的對黨內的指示，要求敵後各抗日根據地建立「三三制」政權。「三三制」政權「是一切贊成抗日又贊成民主的人們的政權，是幾個革命階級聯合起來對於漢奸和反動派的民主專政」，是新民主主義政權在抗日統一戰線階段的具體形式。這個政權在組織形式上，歡迎願意團結的抗日民族資產階級、開明紳士、小資產階級的代表參加；在人民民主權利問題上，「凡滿十八歲的贊成抗日和民主的中國人，不分階級、民族、男女、信仰、黨派、文化程度，均有選舉權和被選舉權」。「三三制」政權得到了各階級、階層的熱烈擁護，在人民民主專政理論的形成和發展過程中具有極其重要的意義和價值。其中蘊含的思想對我們今天的國家政權建設、黨的建設和統一戰線建設依然有重要的借鑒之處。

毛澤東

必須把馬列主義普遍真理同中國革命的具體實踐結合起來

……

馬克思列寧主義的普遍真理一經和中國革命的具體實踐相結合，就使中國革命的面目為之一新。抗日戰爭以來，我黨根據馬克思列寧主義的普遍真理研究抗日戰爭的具體實踐，研究今天的中國和世界，是進一步了，研究中國歷史也有某些開始。所有這些，都是很好的現象。

……

為了反覆地說明這個意思，我想將兩種互相對立的態度對照地講一下。

第一種：主觀主義的態度。

在這種態度下，就是對周圍環境不作系統的周密的研究，單憑主觀熱情去工作，對於中國今天的面目若明若暗。在這種態度下，就是割斷歷史，只懂得希臘，不懂得中國，對於中國昨天和前天的面目漆黑一團。……

有一副對子，是替這種人畫像的。那對子說：

牆上蘆葦，頭重腳輕根底淺；

山間竹筍，嘴尖皮厚腹中空。

對於沒有科學態度的人，對於只知背誦馬克思、恩格斯、列寧、斯大林著作中的若干詞句的人，對於徒有虛名並無實學的人，你們看，像不像？如果有人真正想診治自己的毛病的話，我勸他把這副對子記下來；或者再勇敢一點，把它貼在自己房子裏的牆壁上。馬克思列寧主義是科學，科學是老老實實的學問，任何一點調皮都是不行的。我們還是老實一點吧！

第二種：馬克思列寧主義的態度。

在這種態度下，就是應用馬克思列寧主義的理論和方法，對周圍環境作系統的周密的調查和研究。不是單憑熱情去工作，而是如同斯大林所說的那樣：把革命氣概和實際精神結合起來。在這種態度下，就是不要割斷歷史。不單是懂得希臘就行了，還要懂得中國；不但要懂得外國革命史，還要懂得中國革命史；不但要懂得中國的今天，還要懂得中國的昨天和前天。在這種態度下，就是要有目的地去研究馬克思列寧主義的理論，要使馬克思列寧主義的理論和中國革命的實際運動結合起來，是為著解決中國革命的理論問題和策略問題而去從它找立場，找觀點，找方法的。這種態度，就是有的放矢的態度。「的」就是中國革命，「矢」就是馬克思列寧主義。我們中國共產黨人所以要找這根「矢」，就是為了要射中國革命和東方革命這個「的」的。這種態度，就是實事求是的態度。「實事」就是客觀存在著的一切事物，「是」就是客觀事物的內部聯繫，即規律性，「求」就是我們去研究。我們要從國內外、省內外、縣內外、區內外的實際情況出發，從其中引出其固有的而不是臆造的規律性，即找出周圍事變的內部聯繫，作為我們行動的嚮導。而要這樣做，就須不憑主觀想像，不憑一時的熱情，不憑死的書本，而憑客觀存在的事實，詳細地佔有材料，在馬克思列寧主義一般原理的指導下，從這些材料中引出正確的結論。這種結論，不是甲乙丙丁的現象羅列，也不是誇誇其談的濫調文章，而是科學的結論。這種態度，有實事求是之意，無嘩眾取寵之心。這種態度，就是黨性的表現，就是理論和實際統一的馬克思列寧主義的作風。這是一個共產黨員起碼應該具備的態度。如果有了這種態度，那就既不是「頭重腳輕根底淺」，也不是「嘴尖皮厚腹中空」了。

（節選自毛澤東《改造我們的學習》，《毛澤東選集》第 3 卷，人民出版社 1991 年版）

編選說明 ●●●

《改造我們的學習》是毛澤東一九四一年五月十九日在延安幹部會議上所作的報告，被列為延安整風運動學習的基本著作之一。報告從思想方法、對待馬克思列寧主義態度的高度，深刻地總結了建黨以來二十年的歷史經驗，對如何對待和學習馬克思主義一系列重大問題進行了精闢的闡述，批判了理論與實踐相分離的主觀主義態度。它對推動當時的整風運動，轉變黨的作風，統一全黨的思想，增強黨的團結，爭取新民主主義革命的勝利，發揮了重大的歷史作用。

毛澤東

拋棄黨八股，宣導生動活潑新鮮有力的馬列主義文風

一個人寫黨八股，如果只給自己看，那倒還不要緊。如果送給第二個人看，人數多了一倍，已屬害人不淺。如果還要貼在牆上，或付油印，或登上報紙，或印成一本書，那問題可就大了，它就可以影響許多的人。而寫黨八股的人們，卻總是想寫給許多人看的。這就非加以揭穿，把它打倒不可。

……

黨八股的第一條罪狀是：空話連篇，言之無物。我們有些同志歡喜寫長文章，但是沒有什麼內容，真是「懶婆娘的裹腳，又長又臭」。為什麼一定要寫得那麼長，又那麼空空洞洞的呢？只有一種解釋，就是下決心不要群眾看。因為長而且空，群眾見了就搖頭，哪裏還肯看下去呢？只好去欺負幼稚的人，在他們中間散佈壞影響，造成壞習慣。去年六月二十二日，蘇聯進行那麼大的反侵略戰爭，斯大林在七月三日發表了一篇演說，還只有我們《解放日報》一篇社論那樣長。要是我們的老爺寫起來，那就不得了，起碼得有幾萬字。現在是在戰爭的時期，我們應該研究一下文章怎樣寫得短些，寫得精粹些。延安雖然還沒有戰爭，但軍隊天天在前方打仗，後方也喚工作忙，文

章太長了，有誰來看呢？有些同志在前方也喜歡寫長報告。他們辛辛苦苦地寫了，送來了，其目的是要我們看的。可是怎麼敢看呢？長而空不好，短而空就好嗎？也不好。我們應當禁絕一切空話。但是主要的和首先的任務，是把那些又長又臭的懶婆娘的裹腳，趕快扔到垃圾桶裏去。或者有人要說：《資本論》不是很長的嗎？那又怎麼辦？這是好辦的，看下去就是了。俗話說：「到什麼山上唱什麼歌。」又說：「看菜吃飯，量體裁衣。」我們無論做什麼事都要看情形辦理，文章和演說也是這樣。我們反對的是空話連篇言之無物的八股調，不是說任何東西都以短為好。戰爭時期固然需要短文章，但尤其需要有內容的文章。最不應該、最要反對的是言之無物的文章。演說也是一樣，空話連篇言之無物的演說，是必須停止的。

黨八股的第二條罪狀是：裝腔作勢，藉以嚇人。有些黨八股，不只是空話連篇，而且裝樣子故意嚇人，這裏面包含著很壞的毒素。空話連篇，言之無物，還可以說是幼稚；裝腔作勢，藉以嚇人，則不但是幼稚，簡直是無賴了。魯迅曾經批評過這種人，他說：「辱　和恐嚇決不是戰鬥。」科學的東西，隨便什麼時候都是不怕人家批評的，因為科學是真理，決不怕人家駁。主觀主義和宗派主義的東西，表現在黨八股式的文章和演說裏面，卻生怕人家駁，非常膽怯，於是就靠裝樣子嚇人；以為這一嚇，人家就會閉口，自己就可以「得勝回朝」了。這種裝腔作勢的東西，不能反映真理，而是妨害真理的。凡真理都不裝樣子嚇人，它只是老老實實地說下去和做下去。從前許多同志的文章和演說裏面，常常有兩個名詞：一個叫做「殘酷鬥爭」，一個叫做「無情打擊」。這種手段，用了對付敵人或敵對思想是完全必要的，用了對付自己的同志則是錯誤的。黨內也常常有敵人和敵對思想混進來，如《蘇聯共產黨（布）歷史簡要讀本》結束語第四條所說的那樣。對於這種人，毫無疑義地是應該採用殘酷鬥爭或無情打擊的手段的，因為那些壞人正在利用這種手段對付黨，我們如果還對他們寬容，那就會正中壞人的奸計。但是不能用同一手段對付偶然犯錯誤的同志；對於這類同志，就須使用批評和自我批評的方法，這就是《蘇聯共產黨（布）歷史簡要讀本》結束語第五條所說的方法。從前我們那些同志之所以向這些同志也大講其「殘酷鬥爭」和「無情打擊」，一方面是沒有分析對象，一方面就是為著裝腔作勢，藉以嚇人。無論對什麼人，裝腔作勢藉以嚇人的方法，都是要不得的。因為這種嚇人戰術，對敵人是毫無用處，對同志只有損害。這種嚇人戰術，是剝削階級以及流氓無產者所慣用的手段，無產階級不需要這類手段。無產階級的最尖銳最有效的武器只有一個，那就是嚴肅的戰鬥的科學態度。共產黨不靠嚇人吃飯，而是靠馬克思列寧主義的真理吃飯，靠實事求是吃飯，靠科學吃飯。至於以裝腔作勢來達到名譽和地位的目的，那更是卑劣的念頭，不待說的了。總之，任何機關做決定，發指示，任何同志寫文章，做演說，一概要靠馬克思列寧主義的真理，要靠有用。只有靠了這個才能爭取革命勝利，其它都是無益的。

黨八股的第三條罪狀是：無的放矢，不看對象。早幾年，在延安城牆上，曾經看見過這樣一個標語：「工人農民聯合起來爭取抗日勝利。」這個標語的意思並不壞，可是那工人的工字第二筆不是寫的一直，而是轉了兩個彎子，寫成了「　」字。人字呢？在右邊一筆加了三撇，寫成了「　」字。這位同志是古代文人學士的學生是無疑的了，可是他卻要寫在抗日時期延安這地方的牆壁上，就有些莫名其妙了。大概他的意思也是發誓不要老百姓看，否則就很難得到解釋。共產黨員如果真想做宣傳，就要看對象，就要想一想自己的文章、演說、談話、寫字是給什麼人看、給什麼人聽的，否則就等於下決心不要人看，不要人聽。許多人常常以為自己寫的講的人家都看得很懂，聽得很懂，其實完全不是那麼一回事，因為他寫的和講的是黨八股，人家哪裏會懂呢？「對牛彈琴」這句話，含有譏笑對象的意思。如果我們除去這個意思，放進尊重對象的意思去，那就只剩下譏笑彈琴者這個意思了。為什麼不看對象亂彈一頓呢？何況這是黨八股，簡直是老鴉聲調，卻偏要向人民群眾哇哇地叫。射箭要看靶子，彈琴要看聽眾，寫文章做演說倒可以不看讀者不看聽眾嗎？我們和無論什麼人做朋友，如果不懂得彼此的心，不知道彼此心裏面想些什麼東西，能夠做成知心朋友嗎？做宣傳工作的人，對於自己的宣傳對象沒有調查，沒有研究，沒有分析，亂講一頓，是萬萬不行的。

黨八股的第四條罪狀是：語言無味，像個癟三。上海人叫小癟三的那批角色，也很像我們的黨八股，乾癟得很，樣子十分難看。如果一篇文章，一個演說，顛來倒去，總是那幾個名詞，一套「學生腔」，沒有一點生動活潑的語言，這豈不是語言無味，面目可憎，像個癟三嗎？一個人七歲入小學，十幾歲入中學，二十多歲在大學畢業，沒有和人民群眾接觸過，語言不豐富，單純得很，那是難怪的。但我們是革命黨，是為群眾辦事的，如果也不學群眾的語言，那就辦不好。現在我們有許多做宣傳工作的同志，也不學語言。他們的宣傳，乏味得很；他們的文章，就沒有多少人歡喜看；他們的演說，也沒有多少人歡喜聽。為什麼語言要學，並且要用很大的氣力去學呢？因為語言這東西，不是隨便可以學好的，非下苦功不可。第一，要向人民群眾學習語言。人民的語彙是很豐富的，生動活潑的，表現實際生活的。我們很多人沒有學好語言，所以我們在寫文章做演說時沒有幾句生動活潑切實有力的話，只有死板板的幾條筋，像癟三一樣，瘦得難看，不像一個健康的人。第二，要從外國語言中吸收我們所需要的成分。我們不是硬搬或濫用外國語言，是要吸收外國語言中的好東西，於我們適用的東西。因為中國原有語彙不夠用，現在我們的語彙中就有很多是從外國吸收來的。例如今天開的幹部大會，這「幹部」兩個字，就是從外國學來的。我們還要多多吸收外國的新鮮東西，不但要吸收他們的進步道理，而且要吸收他們的新鮮用語。第三，我們還要學習古人語言中有生命的東西。由於我們沒有努力學習語言，古人語言中的許多還有生氣的東西我們就沒有充分地合理地利用。當然我們堅決反對去用已經死了的語彙和典故，這是確定了的，但是好的仍然有用的東西還是應該繼承。現在中黨八股毒太深的人，對於民間的、外國的、古人的語言中有用的東西，不肯下苦功去學，因此，群眾就不歡迎他們枯燥無味的宣傳，我們也不需要這樣蹩腳的不中用的宣傳家。什麼是宣傳家？不但教員是宣傳家，新聞記者是宣傳家，文藝作者是宣傳家，我們的一切工作幹部也都是宣傳家。比如軍事指揮員，他們並不對外發宣言，但是他們要和士兵講話，要和人民接洽，這不是宣傳是什麼？一個人只要他對別人講話，他就是在做宣傳工作。只要他不是啞巴，他就總有幾句話要講的。所以我們的同志都非學習語言不可。

黨八股的第五條罪狀是：甲乙丙丁，開中藥鋪。你們去看一看中藥鋪，那裏的藥櫃子上有許多抽屜格子，每個格子上面貼著藥名，當歸、熟地、大黃、芒硝，應有盡有。這個方法，也被我們的同志學到了。寫文章，做演說，著書，寫報告，第一是大壹貳三肆，第二是小一二三四，第三是甲乙丙丁，第四是子丑寅卯，還有大 ABCD，小 abcd，還有阿拉伯數字，多得很！幸虧古人和外國人替我們造好了這許多符號，使我們開起中藥鋪來毫不費力。一篇文章充滿了這些符號，不提出問題，不分析問題，不解決問題，不表示贊成什麼，反對什麼，說來說去還是一個中藥鋪，沒有什麼真切的內容。我不是說甲乙丙丁等字不能用，而是說那種對待問題的方法不對。現在許多同志津津有味於這個開中藥鋪的方法，實在是一種最低級、最幼稚、最庸俗的方法。這種方法就是形式主義的方法，是按照事物的外部標誌來分類，不是按照事物的內部聯繫來分類的。單單按照事物的外部標誌，使用一大堆互相沒有內部聯繫的概念，排列成一篇文章、一篇演說或一個報告，這種辦法，他自己是在做概念的遊戲，也會引導人家都做這類遊戲，使人不用腦筋想問題，不去思考事物的本質，而滿足於甲乙丙丁的現象羅列。什麼叫問題？問題就是事物的矛盾。哪裏有沒有解決的矛盾，哪裏就有問題。既有問題，你總得贊成一方面，反對另一方面，你就得把問題提出來。提出問題，首先就要對於問題即矛盾的兩個基本方面加以大略的調查和研究，才能懂得矛盾的性質是什麼，這就是發現問題的過程。大略的調查和研究可以發現問題，提出問題，但是還不能解決問題。要解決問題，還須作系統的周密的調查工作和研究工作，這就是分析的過程。提出問題也要用分析，不然，對著模糊雜亂的一大堆事物的現象，你就不能知道問題即矛盾的所在。這裏所講的分析過程，是指系統的周密的分析過程。常常問題是提出了，但還不能解決，就是因為還沒有暴露事物的內部聯繫，就是因為還沒有經過這種系統的周密的分析過程，因而問題的面貌還不明晰，還不能做綜合工作，也就不能好好地解決問題。一篇文章或一篇演說，如果是重要的帶指導性質的，總得要提出一個什麼問題，接著加以分析，然後綜合起來，指明問題的性質，給以解決的辦法，這樣，就不是形式主義的方法所能濟事。因為這種幼稚的、低級的、庸俗的、不用腦筋的形式主義的方法，在我們黨內很流行，所以必須揭破它，才能使大家學會應用馬克思主義的方法去觀察問題、提出問題、分析問題和解決問題，我們所辦的事才能辦好，我們的革命事業才能勝利。

黨八股的第六條罪狀是：不負責任，到處害人。上面所說的那些，一方面是由於幼稚而來，另一方面也是由於責任心不足而來的。拿洗臉作比方，我們每天都要洗臉，許多人並且不止洗一次，洗完之後還要拿鏡子照一照，要調查研究一番，（大笑）生怕有什麼不妥當的地方。你們看，這是何等地有責任心呀！我們寫文章，做演說，只要像洗臉這樣負責，就差不多了。拿不出來的東西就不要拿出來。須知這是要去影響別人的思想和行動的啊！一個人偶然一天兩天不洗臉，固然也不好，洗後臉上還留著一個兩個黑點，固然也不雅觀，但倒並沒有什麼大危險。寫文章做演說就不同了，這是專為影響人的，我們的同志反而隨隨便便，這就叫做輕重倒置。許多人寫文章，做演說，可以不要預先研究，不要預先準備；文章寫好之後，也不多看幾遍，像洗臉之後再照照鏡子一樣，就馬馬虎虎地發表出去。其結果，往往是「下筆千言，離題萬里」，彷彿像個才子，實則到處害人。這種責任心薄弱的壞習慣，必須改正才好。

第七條罪狀是：流毒全黨，妨害革命。第八條罪狀是：傳播出去，禍國殃民。這兩條意義自明，無須多說。這就是說，黨八股如不改革，如果聽其發展下去，其結果之嚴重，可以鬧到很壞的地步。黨八股裏面藏的是主觀主義、宗派主義的毒物，這個毒物傳播出去，是要害黨害國的。

（節選自毛澤東《反對黨八股》，《毛澤東選集》第3卷，人民出版社1991年版）

編選說明 ●●●

這是毛澤東先生於一九四二年二月二十八日在延安幹部會上的講演，也是整風運動的指導文獻之一。文章採用邊破邊立的論證方法，著重強調了關於改進文風的問題，深刻地論述了黨八股產生的歷史根源和階級根源，指出黨八股的實質是主觀主義和宗派主義的宣傳工具和表現形式，並具體指出黨八股的八大罪狀及其危害性，闡明了反對黨八股的重要意義。在批判黨八股的同時，毛澤東深刻地闡明了馬克思主義的文風，即理論聯繫實際，實事求是，正確地提出問題和解決問題，提倡一種「新鮮活潑、為中國老百姓所喜聞樂見的中國作風和中國氣派」。認真學習《反對黨八股》一文，有助於我們今天的黨政幹部在實際工作中，改掉「黨八股」的陋習、樹立生動活潑新鮮有力的馬列主義新文風。

毛澤東

為人民服務

我們的共產黨和共產黨所領導的八路軍、新四軍，是革命的隊伍。我們這個隊伍完全是為著解放人民的，是徹底地為人民的利益工作的。張思德同志就是我們這個隊伍中的一個同志。

人總是要死的，但死的意義有不同。中國古時候有個文學家叫做司馬遷的說過：「人固有一死，或重於泰山，或輕於鴻毛。」為人民利益而死，就比泰山還重；替法西斯賣力，替剝削人民和壓迫人民的人去死，就比鴻毛還輕。張思德同志是為人民利益而死的，他的死是比泰山還要重的。

因為我們是為人民服務的，所以，我們如果有缺點，就不怕別人批評指出。不管是什麼人，誰向我們指出都行。只要你說得對，我們就改正。你說的辦法對人民有好處，我們就照你的辦。「精兵簡政」這一條意見，就是黨外人士李鼎銘先生提出來的；他提得好，對人民有好處，我們就採用了。只要我們為人民的利益堅持好的，為人民的利益改正錯的，我們這個隊伍就一定會興旺起來。

我們都是來自五湖四海，為了一個共同的革命目標，走到一起來了。我們還要和全國大多數人民走這一條路。我們今天已經領導著有九千一百萬人口的根據地，但是還不夠，還要更大些，才能取得全民族的解放。我們的同志在困難的時候，要看到成績，要看到光明，要提高我們的勇氣。中國人民正在受難，我們有責任解救他們，我們要努力奮鬥。要奮鬥就會有犧牲，死人的事是經常發生的。但是我們想到人民的利益，想到大多數人民的痛苦，我們為人民而死，就是死得其所。不過，我們應當儘量地減少那些不必要的犧牲。我們的幹部要關心每一個戰士，一切革命隊伍的人都要互相關心，互相愛護，互相幫助。

今後我們的隊伍裏，不管死了誰，不管是炊事員，是戰士，只要他是做過一些有益的工作的，我們都要給他送葬，開追悼會。這要成為一個制度。這個方法也要介紹到老百姓那裏去。村上的人死了，開個追悼會。用這樣的方法，寄託我們的哀思，使整個人民團結起來。

（選自毛澤東《為人民服務》，《毛澤東選集》第 3 卷，人民出版社 1991 年版）

編選說明 ●●●

《為人民服務》這篇文章是毛澤東在中共中央警備團追悼張思德的會上的演講。張思德生前是中共中央警備團戰士，一九四四年九月五日，在陝北山中燒炭，因炭窯崩塌而犧牲。這篇演講，闡述了共產黨的奮鬥目標，是完全為著解放人民和徹底地實現人民利益而艱苦奮鬥。「為人民服務」是對黨的宗旨的集中概括，也是對廣大革命工作者的本質要求，更是適應時代要求而產生的一種新的道德思想。

毛澤東

我們共產黨人從來不隱瞞自己的政治主張

在目前中國時局的嚴重形勢下，中國人民，中國一切民主黨派和民主分子，一切關心中國時局的外國人民，都希望中國的分裂局面重趨於團結，都希望中國能實行民主改革，都願意知道中國共產黨對於解決當前許多重大問題上所持的政策。我們的黨員對於這些，當然更加關心。

……

為著動員和統一中國人民一切抗日力量，徹底消滅日本侵略者，並建立獨立、自由、民主、統一和富強的新中國，中國人民，中國共產黨和一切抗日的民主黨派，迫切地需要一個互相同意的共同綱領。

……

在徹底消滅日本侵略者和建設新中國的大前提之下，在中國的現階段，我們共產黨人在這樣一個基本點上是和中國人口中的最大多數相一致的。這就是說：第一，中國的國家制度不應該是一個由大地主大資產階級專政的、封建的、法西斯的、反人民的國家制度，因為這種反人民的制度，已由國民黨主要統治集團的十八年統治證明為完全破產了。第二，中國也不可能、因此就不應該企圖建立一個純粹民族資產階級的舊式民主專政的國家，因為在中國，一方面，民族資產階級在經濟上和政治上都表現得很軟弱；另一方面，中國早已產生了一個覺悟了的，在中國政治舞臺上表現了強大能力的，領導了廣大的農民階級、城市小資產階級、知識分子以及其它民主分子的中國無產階級及其領袖——中國共產黨這樣的新條件。第三，在中國的現階段，在中國人民的任務還是反對民族壓迫和封建壓迫，在中國社會經濟的必要條件還不具備時，中國人民也不可能實現社會主義的國家制度。

那麼，我們的主張是什麼呢？我們主張在徹底地打敗日本侵略者之後，建立一個以全國絕對大多數人民為基礎而在工人階級領導之下的統一戰線的民主聯盟的國家制度，我們把這樣的國家制度稱之為新民主主義的國家制度。

這是一個真正適合中國人口中最大多數的要求的國家制度，因為，第一，它取得了和可能取得數百萬產業工人，數千萬手工業工人和雇傭農民的同意；其次，也取得了和可能取得占中國人口百分之八十，即在四億五千萬人口中佔了三億六千萬的農民階級的同意；又其次，也取得了和可能取得廣大的城市小資產階級、民族資產階級、開明士紳及其它愛國分子的同意。

……

我們主張的新民主主義的政治，就是推翻外來的民族壓迫，廢止國內的封建主義的和法西斯主義的壓迫，並且主張在推翻和廢止這些之後不是建立一箇舊民主主義的政治制度，而是建立一個聯合一切民主階級的統一戰線的政治制度。我們的這種主張，是和孫中山先生的革命主張完全一致的。孫先生在其所著《中國國民黨第一次全國代表大會宣言》裏說：「近世各國所謂民權制度，往往為資產階級所專有，適成為壓迫平民之工具。若國民黨之民權主義，則為一般平民所共有，非少數人所得而私也。」這是孫先生的偉大的政治指示。中國人民，中國共產黨及其它一切民主分子，必須尊重這個指示而堅決地實行之，並同一切違背和反對這個指示的任何人們和任何集團作堅決的鬥爭，藉以保護和發揚這個完全正確的新民主主義的政治原則。

新民主主義的政權組織，應該採取民主集中制，由各級人民代表大會決定大政方針，選舉政府。它是民主的，又是集中的，就是說，在民主基礎上的集中，在集中指導下的民主。只有這個制度，才既能表現廣泛的民主，使各級人民代表大會有高度的權力；又能集中處理國事，使各級政府能集中地處理被各級人民代表大會所委託的一切事務，並保障人民的一切必要的民主活動。

……

新民主主義的文化，同樣應該是「為一般平民所共有」的，即是說，民族的、科學的、大眾的文化，決不應該是「少數人所得而私」的文化。

上述一切，就是我們共產黨人在現階段上，在整個資產階級民主革命的階段上所主張的一般綱領，或基本綱領。對於我們的社會主義和共產主義制度的將來綱領或最高綱領說來，這是我們的最低綱領。實行這個綱領，可以把中國從現在的國家狀況和社會狀況向前推進一步，即是說，從殖民地、半殖民地和半封建的國家和社會狀況，推進到新民主主義的國家和社會。

……

我們共產黨人從來不隱瞞自己的政治主張。我們的將來綱領或最高綱領，是要將中國推進到社會主義社會和共產主義社會去的，這是確定的和毫無疑義的。我們的黨的名稱和我們的馬克思主義的宇宙觀，明確地指明了這個將來的、無限光明的、無限美妙的最高理想。每個共產黨員入黨的時候，心目中就懸著為現在的新民主主義革命而奮鬥和為將來的社會主義和共產主義而奮鬥這樣兩個明確的目標，而不顧那些共產主義敵人的無知的和卑劣的敵視、污蔑、謾　或譏笑；對於這些，我們必須給以堅決的排擊。對於那些善意的懷疑者，則不是給以排擊而是給以善意的和耐心的解釋。所有這些，都是異常清楚、異常確定和毫不含糊的。

（節選自毛澤東《論聯合政府》，《毛澤東選集》第3卷，人民出版社 1991 年版）

編選說明 ●●●

一九四五年四月二十四日，毛澤東在中國共產黨第七次全國代表大會上作了題為《論聯合政府》的政治報告。報告正確總結了中國共產黨成立以來領導人民民主革命的經驗，提出了新民主主義的一般綱領，指出加強黨的領導是爭取革命勝利的關鍵。黨的正確領導源於，中國共產黨在長期革命鬥爭中形成的三大作風——理論聯繫實際、緊密團結群眾和自我批評——這是中國共產黨區別於其它政黨的顯著標誌。報告是中國共產黨打敗日本侵略者、建設新中國的綱領性檔，也是加強共產黨自身建設的重要文獻。

毛澤東

兩個「務必」

我們很快就要在全國勝利了。這個勝利將衝破帝國主義的東方戰線，具有偉大的國際意義。奪取這個勝利，已經是不要很久的時間和不要花費很大的氣力了；鞏固這個勝利，則是需要很久的時間和要花費很大的氣力的事情。資產階級懷疑我們的建設能力。帝國主義者估計我們終久會要向他們討乞才能活下去。因為勝利，黨內的驕傲情緒，以功臣自居的情緒，停頓起來不求進步的情緒，貪圖享樂不願再過艱苦生活的情緒，可能生長。因為勝利，人民感謝我們，資產階級也會出來捧場。敵人的武力是不能征服我們的，這點已經得到證明了。資產階級的捧場則可能征服我們隊伍中的意志薄弱者。可能有這樣一些共產黨人，他們是不曾被拿槍的敵人征服過的，他們在這些敵人面前不愧英雄的稱號；但是經不起人們用糖衣裹著的炮彈的攻擊，他們在糖彈面前要打敗仗。我們必須預防這種情況。奪取全國勝利，這只是萬里長征走完了第一步。如果這一步也值得驕傲，那是比較渺小的，更值得驕傲的還在後頭。在過了幾十年之後來看中國人民民主革命的勝利，就會使人們感覺那好像只是一出長劇的一個短小的序幕。劇是必須從序幕開始的，但序幕還不是高潮。中國的革命是偉大的，但革命以後的路程更長，工作更偉大，更艱苦。這一點現在就必須向黨內講明白，務必使同志們繼續地保持謙虛、謹慎、不驕、不躁的作風，務必使同志們繼續地保持艱苦奮鬥的作風。我們有批評和自我批評這個馬克思列寧主義的武器。我們能夠去掉不良作風，保持優良作風。我們能夠學會我們原來不懂的東西。我們不但善於破壞一箇舊世界，我們還將善於建設一個新世界。中國人民不但可以不要向帝國主義者討乞也能活下去，而且還將活得比帝國主義國家要好些。

（節選自毛澤東《在中國共產黨第七屆中央委員會第二次全體會議上的報告》，《毛澤東選集》第 4 卷，人民出版社 1991 年版）

編選說明 •••

中國共產黨第七屆中央委員會第二次全體會議，一九四九年三月五日至十三日舉行於河北省平山縣西柏坡村。此文是毛澤東在七屆二中全會上所作的報告。文中系統地闡述了在全國勝利的局面下，黨的各項工作的方針和基本政策，科學地預見了革命勝利以後黨所面臨的新形勢和新考驗，第一次指明了執政黨建設應該注意的幾個重大問題。該報告提出了兩個「務必」重要思想，即「務必使同志們繼續地保持謙虛、謹慎、不驕、不躁的作風，務必使同志繼續地保持艱苦奮鬥的作風」。該報告標誌著毛澤東建黨思想進入了一個新的歷史階段，此文和《論人民民主專政》，構成了《共同綱領》的政策基礎。

毛澤東

正確處理人民內部矛盾是我國政治生活的主題

……

在我們的面前有兩類社會矛盾，這就是敵我之間的矛盾和人民內部的矛盾。這是性質完全不同的兩類矛盾。

……

敵我之間的矛盾是對抗性的矛盾。人民內部的矛盾，在勞動人民之間說來，是非對抗性的；在被剝削階級和剝削階級之間說來，除了對抗性的一面以外，還有非對抗性的一面。人民內部的矛盾不是現在才有的，但是在各個革命時期和社會主義建設時期有著不同的內容。在我國現在的條件下，所謂人民內部的矛盾，包括工人階級內部的矛盾，農民階級內部的矛盾，知識分子內部的矛盾，工農兩個階級之間的矛盾，工人、農民同知識分子之間的矛盾，工人階級和其它勞動人民同民族資產階級之間的矛盾，民族資產階級內部的矛盾，等等。我們的人民政府是真正代表人民利益的政府，是為人民服務的政府，但是它同人民群眾之間也有一定的矛盾。這種矛盾包括國家利益、集體利益同個人利益之間的矛盾，民主同集中的矛盾，領導同被領導之間的矛盾，國家機關某些工作人員的官僚主義作風同群眾之間的矛盾。

這種矛盾也是人民內部的一個矛盾。一般說來，人民內部的矛盾，是在人民利益根本一致的基礎上的矛盾。

……

我們的國家是工人階級領導的以工農聯盟為基礎的人民民主專政的國家。這個專政是幹什麼的呢？專政的第一個作用，就是壓迫國家內部的反動階級、反動派和反抗社會主義革命的剝削者，壓迫那些對於社會主義建設的破壞者，就是為瞭解決國內敵我之間的矛盾。例如逮捕某些反革命分子並且將他們判罪，在一個時期內不給地主階級分子和官僚資產階級分子以選舉權，不給他們發表言論的自由權利，都是屬於專政的範圍。為了維護社會秩序和廣大人民的利益，對於那些盜竊犯、詐騙犯、殺人放火犯、流氓集團和各種嚴重破壞社會秩序的壞分子，也必須實行專政。專政還有第二個作用，就是防禦國家外部敵人的顛覆活動和可能的侵略。在這種情況出現的時候，專政就擔負著對外解決敵我之間的矛盾的任務。專政的目的是為了保衛全體人民進行和平勞動，將我國建設成為一個具有現代工業、現代農業和現代科學文化的社會主義國家。誰來行使專政呢彝當然是工人階級和在它領導下的人民。專政的制度不適用於人民內部。人民自己不能向自己專政，不能由一部分人民去壓迫另一部分人民。人民中間的犯法分子也要受到法律的制裁，但是，這和壓迫人民的敵人的專政是有原則區別的。在人民內部是實行民主集中制。我們的憲法規定:中華人民共和國公民有言論、出版、集會、結社、遊行、示威、宗教信仰等等自由。我們的憲法又規定:國家機關實行民主集中制，國家機關必須依靠人民群眾，國家機關工作人員必須為人民服務。我們的這個社會主義的民主是任何資產階級國家所不可能有的最廣大的民主。我們的專政，叫做工人階級領導的以工農聯盟為基礎的人民民主專政。這就表明，在人民內部實行民主制度，而由工人階級團結全體有公民權的人民，首先是農民，向著反動階級、反動派和反抗社會主義改造和社會主義建設的分子實行專政。所謂有公民權，在政治方面，就是說有自由和民主的權利。

（節選自毛澤東《關於正確處理人民內部矛盾的問題》，《毛澤東選集》第5卷，人民出版社1977年版）

編選說明 ●●●

《關於正確處理人民內部矛盾問題》，由一九五七年二月二十七日毛澤東在最高國務會議第十一次（擴大）會議上講話修改和補充而成。貫穿全文的基本思想是，把正確區分和處理人民內部矛盾，作為社會主義國家政治生活的主要內容。該文全面地分析了各種類型的人民內部矛盾，系統地論述了正確處理各種矛盾的方針政策，明確提出運用民主的方法，正確處理人民內部矛盾。該文為馬克思主義政治學說史增添了新的內容，對探索社會主義社會的規律，具有重大的理論價值。

鄧小平

改革開放膽子要大一些

改革開放膽子要大一些，敢於試驗，不能像小腳女人一樣。看準了的，就大膽地試，大膽地闖。深圳的重要經驗就是敢闖。沒有一點闖的精神，沒有一點「冒」的精神，沒有一股氣呀、勁呀，就走不出一條好路，走不出一條新路，就幹不出新的事業。不冒點風險，辦什麼事情都有百分之百的把握，萬無一失，誰敢說這樣的話？一開始就自以為是，認為百分之百正確，沒那麼回事，我就從來沒有那麼認為。每年領導層都要總結經驗，對的就堅持，不對的趕快改，新問題出來抓緊解決。恐怕再有三十年的時間，我們才會在各方面形成一整套更加成熟、更加定型的制度。在這個制度下的方針、政策，也將更加定型化。現在建設中國式的社會主義，經驗一天比一天豐富。經驗很多，從各省的報刊材料看，都有自己的特色。這樣好嘛，就是要有創造性。

改革開放邁不開步子，不敢闖，說來說去就是怕資本主義的東西多了，走了資本主義道路。要害是姓「資」還是姓「社」的問題。判斷的標準，應該主要看是否有利於發展社會主義社會的生產力，是否有利於增強社會主義國家的綜合國力，是否有利於提高人民的生活水準。對辦特區，從一開始就有不同意見，擔心是不是搞資本主義。深圳的建設成就，明確回答了那些有這樣那樣擔心的人。特區姓「社」

不姓「資」。從深圳的情況看，公有制是主體，外商投資只占四分之一，就是外資部分，我們還可以從稅收、勞務等方面得到益處嘛！多搞點「三資」企業，不要怕。只要我們頭腦清醒，就不怕。我們有優勢，有國營大中型企業，有鄉鎮企業，更重要的是政權在我們手裏。有的人認為，多一分外資，就多一分資本主義，「三資」企業多了，就是資本主義的東西多了，就是發展了資本主義。這些人連基本常識都沒有。我國現階段的「三資」企業，按照現行的法規政策，外商總是要賺一些錢。但是，國家還要拿回稅收，工人還要拿回工資，我們還可以學習技術和管理，還可以得到信息、打開市場。因此，「三資」企業受到我國整個政治、經濟條件的制約，是社會主義經濟的有益補充，歸根到底是有利於社會主義的。

計劃多一點還是市場多一點，不是社會主義與資本主義的本質區別。計劃經濟不等於社會主義，資本主義也有計劃；市場經濟不等於資本主義，社會主義也有市場。計劃和市場都是經濟手段。社會主義的本質，是解放生產力，發展生產力，消滅剝削，消除兩極分化，最終達到共同富裕。就是要對大家講這個道理。證券、股市，這些東西究竟好不好，有沒有危險，是不是資本主義獨有的東西，社會主義能不能用？允許看，但要堅決地試。看對了，搞一兩年對了，放開；錯了，糾正，關了就是了。關，也可以快關，也可以慢關，也可以留一點尾巴。怕什麼，堅持這種態度就不要緊，就不會犯大錯誤。總之，社會主義要贏得與資本主義相比較的優勢，就必須大膽吸收和借鑒人類社會創造的一切文明成果，吸收和借鑒當今世界各國包括資本主義發達國家的一切反映現代社會化生產規律的先進經營方式、管理方法。

走社會主義道路，就是要逐步實現共同富裕。共同富裕的構想是這樣提出的：一部分地區有條件先發展起來，一部分地區發展慢點，先發展起來的地區帶動後發展的地區，最終達到共同富裕。如果富的愈來愈富，窮的愈來愈窮，兩極分化就會產生，而社會主義制度就應該而且能夠避免兩極分化。解決的辦法之一，就是先富起來的地區多交點利稅，支持貧困地區的發展。當然，太早這樣辦也不行，現在不能削弱發達地區的活力，也不能鼓勵吃「大鍋飯」。什麼時候突出地提出和解決這個問題，在什麼基礎上提出和解決這個問題，要研究。可以設想，在本世紀末達到小康水準的時候，就要突出地提出和解決這個問題。到那個時候，發達地區要繼續發展，並通過多交利稅和技術轉讓等方式大力支持不發達地區。不發達地區又大都是擁有豐富資源的地區，發展潛力是很大的。總之，就全國範圍來說，我們一定能夠逐步順利解決沿海同內地貧富差距的問題。

對改革開放，一開始就有不同意見，這是正常的。不只是經濟特區問題，更大的問題是農村改革，搞農村家庭聯產承包，廢除人民公社制度。開始的時候只有三分之一的省幹起來，第二年超過三分之二，第三年才差不多全部跟上，這是就全國範圍講的。開始搞並不踊躍呀，好多人在看。我們的政策就是允許看。允許看，比強制好得多。我們推行三中全會以來的路線、方針、政策，不搞強迫，不搞運動，願意幹就幹，幹多少是多少，這樣慢慢就跟上來了。不搞爭論，是我的一個發明。不爭論，是為了爭取時間幹。一爭論就複雜了，把時間都爭掉了，什麼也幹不成。不爭論，大膽地試，大膽地闖。農村改革是如此，城市改革也應如此。

現在，有右的東西影響我們，也有「左」的東西影響我們，但根深蒂固的還是「左」的東西。有些理論家、政治家，拿大帽子嚇唬人的，不是右，而是「左」。「左」帶有革命的色彩，好像越「左」越革命。「左」的東西在我們黨的歷史上可怕呀！一個好好的東西，一下子被他搞掉了。右可以葬送社會主義，「左」也可以葬送社會主義。中國要警惕右，但主要是防止「左」。右的東西有，動亂就是右的！「左」的東西也有。把改革開放說成是引進和發展資本主義，認為和平演變的主要危險來自經濟領域，這些就是「左」。我們必須保持清醒的頭腦，這樣就不會犯大錯誤，出現問題也容易糾正和改正。

（節選自鄧小平《在武昌、深圳、珠海、上海等地的談話要點》，《鄧小平文選》第3卷，人民出版社1993年版）

編選說明 •••

《在武昌、深圳、珠海、上海等地的談話要點》係根據鄧小平1992年初視察我國南方時發表的一系列談話整理而成，是我國改革進程中的一篇具有決定性意義的重要文獻。這篇談話對社會主義的本質、計劃與市場的關係、改革的根本任務、整個國家的發展方向和速度等一系列問題做出了明確的馬克思主義的回答，為我國改革指明了正確的方向。這些論述具有非常強的針對性，不但在當時廓清了各種錯誤思想、錯誤認識的迷霧，而且對當前中國特色社會主義事業建設也仍然起著指導性的作用。

江澤民

「三個代表」要求，是我們黨的立黨之本、執政之基、力量之源

總結八十年的奮鬥歷程和基本經驗，展望新世紀的艱巨任務和光明前途，我們黨要繼續站在時代前列，帶領人民勝利前進，歸結起來，就是必須始終代表中國先進生產力的發展要求，代表中國先進文化的前進方向，代表中國最廣大人民的根本利益。

二、正確認識和全面貫徹「三個代表」要求

……「三個代表」要求，是我們黨的立黨之本、執政之基、力量之源，也是我們在新世紀全面推進黨的建設，不斷推進理論創新、制度創新和科技創新，不斷奪取建設有中國特色社會主義事業新勝利的根本要求。

我們黨要始終代表中國先進生產力的發展要求，就是黨的理論、路線、綱領、方針、政策和各項工作，必須努力符合生產力發展的規律，體現不斷推動社會生產力的解放和發展的要求，尤其要體現推動先進生產力發展的要求，通過發展生產力不斷提高人民群眾的生活水準。

生產力是最活躍最革命的因素，是社會發展的最終決定力量。生產力與生產關係、經濟基礎與上層建築的矛盾，構成社會的基本矛盾。這個基本矛盾的運動，決定著社會性質的變化和社會經濟政治文

化的發展方向。社會主義與資本主義的根本區別，就在於它們的生產關係和上層建築是不同的。社會主義制度的建立和不斷完善，為我國社會生產力的解放和發展打開了廣闊的道路。無論什麼樣的生產關係和上層建築，都要隨著生產力的發展而發展。如果它們不能適應生產力發展的要求，而成為生產力發展和社會進步的障礙，那就必然要發生調整和變革。

敏銳地把握我國社會生產力的發展趨勢和要求，堅持以經濟建設為中心，通過制定和實施正確的路線方針政策，採取切實的工作步驟，不斷促進先進生產力的發展，這是我們黨始終站在時代前列，保持先進性的根本體現和根本要求。

我們黨作為工人階級的先鋒隊，建立時就是以中國先進生產力的代表走上歷史舞臺的。我們黨領導的新民主主義革命，目的是取消帝國主義在中國的特權，消滅地主階級和官僚資產階級的剝削和壓迫，改變買辦的封建的生產關係，以及改變建立在這種經濟基礎之上的腐朽的政治上層建築，確立人民民主專政為核心的新的政治上層建築，從根本上解放被束縛的生產力。新中國成立以後，我們對農業、手工業和資本主義工商業進行社會主義改造，是為了確立社會主義生產關係，並在這種經濟基礎上進一步健全社會主義上層建築，以繼續解放和發展生產力。黨的十一屆三中全會以來，我們進行改革開放，調整和改革社會主義生產關係中不適應生產力發展要求的部分，調整和改革社會主義上層建築中不適應經濟基礎的部分，也是為了進一步解放和發展生產力。二十多年來，我們大膽探索，勇於實踐，不斷推進經濟體制改革、政治體制改革和其它方面的改革，極大地解放和發展了我國社會生產力，推動我國經濟發展和社會進步發生了巨大變化。

社會主義的根本任務是發展生產力，增強社會主義國家的綜合國力，使人民的生活日益改善，不斷體現社會主義優於資本主義的特點。在社會主義社會的各個歷史階段，都需要根據經濟社會發展的要求，適時地通過改革不斷推進社會主義制度自我完善和發展，這樣才能使社會主義制度充滿生機和活力。全黨同志必須牢固樹立社會主義改革和發展的基本觀點和自覺性。

人類社會的發展，就是先進生產力不斷取代落後生產力的歷史進程。社會主義現代化必須建立在發達生產力的基礎之上。我們為實現現代化而奮鬥，最根本的就是要通過改革和發展，使我國形成發達的生產力。全黨同志無論在什麼崗位上，都要對自己所從事的工作經常加以檢查和總結，看看是不是符合先進生產力的發展要求，符合的就毫不動搖地堅持，不符合的就實事求是地糾正。這樣，才能充分體現共產黨人的先進性和時代精神。

人是生產力中最具有決定性的力量。包括知識分子在內的我國工人階級，是推動我國先進生產力發展的基本力量。我國農民階級和其它勞動群眾，同工人階級緊密團結，是推動我國社會生產力發展的重要力量。不斷提高工人、農民、知識分子和其它勞動群眾以及全體人民的思想道德素質和科學文化素質，不斷提高他們的勞動技能和創造才能，充分發揮他們的積極性主動性創造性，始終是我們黨代表中國先進生產力發展要求必須履行的第一要務。

科學技術是第一生產力，而且是先進生產力的集中體現和主要標誌。科學技術的突飛猛進，給世界生產力和人類經濟社會的發展帶來了極大的推動。未來的科技發展還將產生新的重大飛躍。我們必須敏銳地把握這個客觀趨勢，始終注意把發揮我國社會主義制度的優越性，同掌握、運用和發展先進的科學技術緊密地結合起來，大力推動科技進步和創新，不斷用先進科技改造和提高國民經濟，努力實現我國生產力發展的跨越。這是我們黨代表中國先進生產力發展要求必須履行的重要職責。

我國社會主義現代化建設取得了巨大成就，但我國還處在社會主義初級階段，人口多、底子薄，經濟文化發展很不平衡，生產力不發達的情況總體上還沒有改變。不斷解放和發展生產力，依然是我們長期的中心任務。我們必須堅持不懈地發展先進的生產力。對於仍然存在的不適應先進生產力和時代發展要求的一些落後的生產方式，既不能脫離實際地簡單化地加以排斥，也不能採取安於現狀、保護落後的態度，而要立足實際，創造條件加以改造、改進和提高，通過長期努力，逐步使它們向先進適用的生產方式轉變。

我們要在黨的基本理論、基本路線、基本綱領的指引下，繼續堅持和完善公有制為主體、多種所有制經濟共同發展的基本經濟制度，堅持和完善社會主義市場經濟體制，堅持和完善按勞分配為主體的多種分配方式，堅持和完善對外開放；堅持和完善工人階級領導的、以工農聯盟為基礎的人民民主專政，堅持和完善人民代表大會制度和共產黨領導的多黨合作、政治協商以及民族區域自治制度，積極穩妥地推進政治體制改革，進一步擴大社會主義民主，依法治國，建設社會主義法治國家。通過堅持不懈的努力，不斷完善社會主義的生產關係和上層建築，不斷為生產力的解放和發展打開更廣闊的通途。

我們黨要始終代表中國先進文化的前進方向，就是黨的理論、路線、綱領、方針、政策和各項工作，必須努力體現發展面向現代化、面向世界、面向未來的，民族的科學的大眾的社會主義文化的要求，促進全民族思想道德素質和科學文化素質的不斷提高，為我國經濟發展和社會進步提供精神動力和智力支持。

社會主義社會是全面發展、全面進步的社會。社會主義現代化事業是物質文明和精神文明相輔相成、協調發展的事業。全黨同志必須全面把握兩個文明建設的辯證關係，在推進物質文明建設的同時，努力推進社會主義精神文明建設。在當代中國，發展先進文化，就是發展有中國特色社會主義的文化，就是建設社會主義精神文明。

牢牢把握中國先進文化的發展趨勢和要求，堅持以馬克思列寧主義、毛澤東思想、鄧小平理論為指導，立足於建設有中國特色社會主義的實踐，著眼於世界科學文化發展的前沿，不斷發展健康向上、豐富多彩的，具有中國風格、中國特色的社會主義文化，滿足人民群眾日益增長的精神文化需求，引導廣大人民群眾從思想上精神上正確武裝和不斷提高起來。這也是我們黨始終站在時代前列，保持先進性的根本體現和根本要求。

堅持什麼樣的文化方向，推動建設什麼樣的文化，是一個政黨在思想上精神上的一面旗幟。八十年來，我們黨高舉中國先進文化的前進旗幟，努力建設和弘揚反映革命、建設和改革要求的新文化，蕩滌舊社會遺留下來的和國外滲透進來的腐朽沒落的舊文化，從思想上精神上極大地解放和激勵了廣大幹部群眾，在全黨和全國人民中形成了凝聚人心、統一意志的正確指導思想和共同理想。

發展社會主義文化的根本任務，是培養一代又一代有理想、有道德、有文化、有紀律的公民。要堅持以科學的理論武裝人，以正確的輿論引導人，以高尚的精神塑造人，以優秀的作品鼓舞人。堅持和鞏固馬克思主義的指導地位，幫助人們樹立正確的世界觀、人生觀和價值觀，堅定對馬克思主義的信仰、堅定對社會主義的信念、增強對改革開放和現代化建設的信心、增強對黨和政府的信任，增強自立意識、競爭意識、效率意識、民主法制意識和開拓創新精神。堅持實施科教興國戰略，進一步普及教育，提高教育素質和全社會的教育水準；大力發展科學文化事業。加強科學知識、科學方法、科學思想、科學精神的宣傳教育。唱響社會主義文化的主旋律，堅持為人民服務、為社會主義服務，實行百花齊放、百家爭鳴，是發展先進文化必須貫徹的重要方針。要努力掌握和發展各種現代傳播手段，積極推動先進文化的傳播。

加強社會主義思想道德建設，是發展先進文化的重要內容和中心環節。必須認識到，如果只講物質利益，只講金錢，不講理想，不講道德，人們就會失去共同的奮鬥目標，失去行為的正確規範。要把依法治國同以德治國結合起來，為社會保持良好的秩序和風尚營造高尚的思想道德基礎。要在全社會宣導愛國主義、集體主義、社會主義思想，反對和抵制拜金主義、享樂主義、極端個人主義等腐朽思想，增強全國人民的民族自尊心、自信心、自豪感，激勵他們為振興中華而不懈奮鬥。

社會主義文化在我國已經居於主導地位。但是，由於歷史和現實的原因，社會上還存在一些帶有迷信、愚昧、頹廢、庸俗等色彩的落後文化，甚至還存在一些腐蝕人們精神世界、危害社會主義事業的腐朽文化。要通過完善政策和制度，加強教育和管理，移風易俗，努力改造落後的文化，努力防止和堅決抵制腐朽文化和各種錯誤思想觀點對人們的侵蝕，逐步縮小和剔除它們藉以滋生的土壤。

發展社會主義文化，必須繼承和發揚一切優秀的文化，必須充分體現時代精神和創造精神，必須具有世界眼光，增強感召力。中華民族的優秀文化傳統，黨和人民從五四運動以來形成的革命文化傳統，人類社會創造的一切先進文明成果，我們都要積極繼承和發揚。我國幾千年歷史留下了豐富的文化遺產，我們應該取其精華、去其糟粕，結合時代精神加以繼承和發展，做到古為今用。同時必須結合新的實踐和時代的要求，結合人民群眾精神文化生活的需要，積極進行文化創新，努力繁榮先進文化，把億萬人民緊緊吸引在有中國特色社會主義文化的偉大旗幟下。

我們黨要始終代表中國最廣大人民的根本利益，就是黨的理論、路線、綱領、方針、政策和各項工作，必須堅持把人民的根本利益作為出發點和歸宿，充分發揮人民群眾的積極性主動性創造性，在社會不斷發展進步的基礎上，使人民群眾不斷獲得切實的經濟、政治、文化利益。

全心全意為人民服務，立黨為公，執政為民，是黨同一切剝削階級政黨的根本區別。任何時候我們都必須堅持尊重社會發展規律與尊重人民歷史主體地位的一致性，堅持為崇高理想奮鬥與為最廣大人民謀利益的一致性，堅持完成黨的各項工作與實現人民利益的一致性。

八十年來我們黨進行的一切奮鬥，歸根到底都是為了最廣大人民的利益。在革命戰爭年代，黨號召全黨同志不怕犧牲、前赴後繼地為革命的勝利而英勇鬥爭。新中國成立後，黨告誡全黨同志謙虛謹慎，戒驕戒躁，永遠保持艱苦奮鬥的革命精神。在新的歷史時期，黨要求全黨同志必須經得起改革開放和執政的考驗，帶領人民群眾為實現社會主義現代化而勤奮工作。所有這些，都是為了不斷實現好、維護好和發展好最廣大人民的利益，始終保持黨同人民群眾的血肉聯繫。

人民群眾的整體利益總是由各方面的具體利益構成的。我們所有的政策措施和工作，都應該正確反映並有利於妥善處理各種利益關係，都應認真考慮和兼顧不同階層、不同方面群眾的利益。但是，最重要的是必須首先考慮並滿足最大多數人的利益要求，這始終關係黨的執政的全域，關係國家經濟政治文化發展的全域，關係全國各族人民的團結和社會安定的全域。最大多數人的利益是最緊要和最具有決定性的因素。這是馬克思主義的基本觀點，各級領導機關和領導幹部必須充分認識和認真實踐。

我們黨始終堅持人民的利益高於一切。黨除了最廣大人民的利益，沒有自己特殊的利益。黨的一切工作，必須以最廣大人民的根本利益為最高標準。全黨同志要始終堅持一切為了群眾、一切依靠群眾的根本觀點，堅持黨的群眾路線，深入群眾，深入基層，傾聽群眾呼聲，反映群眾意願，集中群眾智慧，使各項決策和工作符合實際和群眾要求。所有黨員幹部必須真正代表人民掌好權、用好權，而絕不允許以權謀私，絕不允許形成既得利益集團。在逐步實現全國人民共同富裕的過程中，黨員幹部必須正確處理好先富與後富、個人富裕與共同富裕的關係。所有黨員領導幹部，都應該先天下之憂而憂、後天下之樂而樂，吃苦在前、享受在後，首先要支持和幫助群眾富起來，而不能只考慮自己如何富，更不能利用手中的權力謀取不正當的利益。各級領導幹部時刻都要把人民群眾的安危冷暖放在心上，關心群眾疾苦，努力為群眾辦實事、辦好事。各級領導機關和領導幹部，要特別關心那些工作和生活上暫時遇到困難的群眾，把他們的事情擺上重要議事日程，重點考慮，重點解決，切實安排好他們的就業和生活。只有把關心群眾、服務群眾的工作切實做好了，我們才能始終保持與人民群眾的血肉聯繫，才能無往而不勝。

代表中國先進生產力的發展要求，代表中國先進文化的前進方向，代表中國最廣大人民的根本利益，是統一的整體，相互聯繫，相互促進。發展先進的生產力，是發展先進文化，實現最廣大人民根本利益的基礎條件。人民群眾是先進生產力和先進文化的創造主體，也是實現自身利益的根本力量。不斷發展先進生產力和先進文化，歸根到底都是為了滿足人民群眾日益增長的物質文化生活需要，不斷實現最廣大人民的根本利益。

「三個代表」要求，是我們黨保持先進性、始終成為建設有中國特色社會主義堅強領導核心的基本要求，與堅持馬克思列寧主義、毛澤東思想、鄧小平理論，堅持黨的工人階級先鋒隊性質和全心全意為人民服務的宗旨是一致的。全黨同志一定要堅持把全面落實「三個代表」要求，統一於黨的建設的各個方面，統一於黨領導人民進行改革開放和社會主義現代化建設的全過程。

（節選自江澤民《在慶祝中國共產黨成立八十週年大會上的講話》，《江澤民文選》第 3 卷，人民出版社 2006 年版）

編選說明 ●●●

2001 年 7 月 1 日，江澤民先生在慶祝中國共產黨建立 80 週年大會上作了重要講話。「七一」講話全面系統地闡述了「三個代表」重要思想的科學內涵和精神實質，科學地回答了在新的歷史條件下「建設一個什麼樣的黨、怎樣建設黨」的問題，是我們黨對社會主義建設規律和執政黨建設規律認識的新飛躍，是我們在新世紀全面開創建設有中國特色社會主義事業新局面、提高黨的執政能力和領導水準的根本指標，也是我們黨領導全國人民在本世紀實現中華民族偉大復興的行動綱領。「三個代表」重要思想，是對中國共產黨八十年實踐經驗的科學總結，是中國共產黨人智慧的結晶，是中國共產黨的立黨之本、執政之基、力量之源。而「黨必須始終代表最廣大人民的根本利益」，是中國共產黨對中國人民的莊嚴承諾,是「三個代表」的核心和落腳點。

胡錦濤

科學發展觀，第一要義是發展，核心是以人為本

在新的發展階段繼續全面建設小康社會、發展中國特色社會主義，必須堅持以鄧小平理論和「三個代表」重要思想為指導，深入貫徹落實科學發展觀。

科學發展觀，是對黨的三代中央領導集體關於發展的重要思想的繼承和發展，是馬克思主義關於發展的世界觀和方法論的集中體現，是同馬克思列寧主義、毛澤東思想、鄧小平理論和「三個代表」重要思想既一脈相承又與時俱進的科學理論，是我國經濟社會發展的重要指導方針，是發展中國特色社會主義必須堅持和貫徹的重大戰略思想。

科學發展觀，是立足社會主義初級階段基本國情，總結我國發展實踐，借鑒國外發展經驗，適應新的發展要求提出來的。進入新世紀新階段，我國發展呈現一系列新的階段性特徵，主要是：經濟實力顯著增強，同時生產力水準總體上還不高，自主創新能力還不強，長期形成的結構性矛盾和粗放型增長方式尚未根本改變；社會主義市場經濟體制初步建立，同時影響發展的體制機制障礙依然存在，改革攻堅面臨深層次矛盾和問題；人民生活總體上達到小康水準，同時收入分

配差距拉大趨勢還未根本扭轉，城鄉貧困人口和低收入人口還有相當數量，統籌兼顧各方面利益難度加大；協調發展取得顯著成績，同時農業基礎薄弱、農村發展滯後的局面尚未改變，縮小城鄉、區域發展差距和促進經濟社會協調發展任務艱巨；社會主義民主政治不斷發展、依法治國基本方略紮實貫徹，同時民主法制建設與擴大人民民主和經濟社會發展的要求還不完全適應，政治體制改革需要繼續深化；社會主義文化更加繁榮，同時人民精神文化需求日趨旺盛，人們思想活動的獨立性、選擇性、多變性、差異性明顯增強，對發展社會主義先進文化提出了更高要求；社會活力顯著增強，同時社會結構、社會組織形式、社會利益格局發生深刻變化，社會建設和管理面臨諸多新課題；對外開放日益擴大，同時面臨的國際競爭日趨激烈，發達國家在經濟科技上佔優勢的壓力長期存在，可以預見和難以預見的風險增多，統籌國內發展和對外開放要求更高。

這些情況表明，經過新中國成立以來特別是改革開放以來的不懈努力，我國取得了舉世矚目的發展成就，從生產力到生產關係、從經濟基礎到上層建築都發生了意義深遠的重大變化，但我國仍處於並將長期處於社會主義初級階段的基本國情沒有變，人民日益增長的物質文化需要同落後的社會生產之間的矛盾這一社會主要矛盾沒有變。當前我國發展的階段性特徵，是社會主義初級階段基本國情在新世紀新階段的具體表現。強調認清社會主義初級階段基本國情，不是要妄自菲薄、自甘落後，也不是要脫離實際、急於求成，而是要堅持把它作為推進改革、謀劃發展的根本依據。我們必須始終保持清醒頭腦，立足社會主義初級階段這個最大的實際，科學分析我國全面參與經濟全球化的新機遇新挑戰，全面認識工業化、信息化、城鎮化、市場化、國際化深入發展的新形勢新任務，深刻把握我國發展面臨的新課題新矛盾，更加自覺地走科學發展道路，奮力開拓中國特色社會主義更為廣闊的發展前景。

科學發展觀，第一要義是發展，核心是以人為本，基本要求是全面協調可持續，根本方法是統籌兼顧。

——必須堅持把發展作為黨執政興國的第一要務。發展，對於全面建設小康社會、加快推進社會主義現代化，具有決定性意義。要牢牢扭住經濟建設這個中心，堅持聚精會神搞建設、一心一意謀發展，不斷解放和發展社會生產力。更好實施科教興國戰略、人才強國戰略、可持續發展戰略，著力把握發展規律、創新發展理念、轉變發展方式、破解發展難題，提高發展品質和效益，實現又好又快發展，為發展中國特色社會主義打下堅實基礎。努力實現以人為本、全面協調可持續的科學發展，實現各方面事業有機統一、社會成員團結和睦的和諧發展，實現既通過維護世界和平發展自己、又通過自身發展維護世界和平的和平發展。

——必須堅持以人為本。全心全意為人民服務是黨的根本宗旨，黨的一切奮鬥和工作都是為了造福人民。要始終把實現好、維護好、發展好最廣大人民的根本利益作為黨和國家一切工作的出發點和落腳點，尊重人民主體地位，發揮人民首創精神，保障人民各項權益，走共同富裕道路，促進人的全面發展，做到發展為了人民、發展依靠人民、發展成果由人民共用。

——必須堅持全面協調可持續發展。要按照中國特色社會主義事業總體佈局，全面推進經濟建設、政治建設、文化建設、社會建設，促進現代化建設各個環節、各個方面相協調，促進生產關係與生產力、上層建築與經濟基礎相協調。堅持生產發展、生活富裕、生態良好的文明發展道路，建設資源節約型、環境友好型社會，實現速度和結構品質效益相統一、經濟發展與人口資源環境相協調，使人民在良好生態環境中生產生活，實現經濟社會永續發展。

——必須堅持統籌兼顧。要正確認識和妥善處理中國特色社會主義事業中的重大關係，統籌城鄉發展、區域發展、經濟社會發展、人與自然和諧發展、國內發展和對外開放，統籌中央和地方關係，統籌個人利益和集體利益、局部利益和整體利益、當前利益和長遠利益，充分調動各方面積極性。統籌國內國際兩個大局，樹立世界眼光，加強戰略思維，善於從國際形勢發展變化中把握發展機遇、應對風險挑戰，營造良好國際環境。既要總攬全域、統籌規劃，又要抓住牽動全域的主要工作、事關群眾利益的突出問題，著力推進、重點突破。

深入貫徹落實科學發展觀，要求我們始終堅持「一個中心、兩個基本點」的基本路線。黨的基本路線是黨和國家的生命線，是實現科學發展的政治保證。以經濟建設為中心是興國之要，是我們黨、我們國家興旺發達和長治久安的根本要求；四項基本原則是立國之本，是我們黨、我們國家生存發展的政治基石；改革開放是強國之路，是我們黨、我們國家發展進步的活力源泉。要堅持把以經濟建設為中心同四項基本原則、改革開放這兩個基本點統一於發展中國特色社會主義的偉大實踐，任何時候都決不能動搖。

深入貫徹落實科學發展觀，要求我們積極構建社會主義和諧社會。社會和諧是中國特色社會主義的本質屬性。科學發展和社會和諧是內在統一的。沒有科學發展就沒有社會和諧，沒有社會和諧也難以實現科學發展。構建社會主義和諧社會是貫穿中國特色社會主義事業全過程的長期歷史任務，是在發展的基礎上正確處理各種社會矛盾的歷史過程和社會結果。要通過發展增加社會物質財富、不斷改善人民生活，又要通過發展保障社會公平正義、不斷促進社會和諧。實現社會公平正義是中國共產黨人的一貫主張，是發展中國特色社會主義的重大任務。要按照民主法治、公平正義、誠信友愛、充滿活力、安定有序、人與自然和諧相處的總要求和共同建設、共同享有的原則，著力解決人民最關心、最直接、最現實的利益問題，努力形成全體人民各盡其能、各得其所而又和諧相處的局面，為發展提供良好社會環境。

深入貫徹落實科學發展觀，要求我們繼續深化改革開放。要把改革創新精神貫徹到治國理政各個環節，毫不動搖地堅持改革方向，提高改革決策的科學性，增強改革措施的協調性。要完善社會主義市場經濟體制，推進各方面體制改革創新，加快重要領域和關鍵環節改革步伐，全面提高開放水準，著力構建充滿活力、富有效率、更加開放、有利於科學發展的體制機制，為發展中國特色社會主義提供強大動力和體制保障。要堅持把改善人民生活作為正確處理改革發展穩定關係的結合點，使改革始終得到人民擁護和支持。

深入貫徹落實科學發展觀，要求我們切實加強和改進黨的建設。要站在完成黨執政興國使命的高度，把提高黨的執政能力、保持和發展黨的先進性，體現到領導科學發展、促進社會和諧上來，落實到引領中國發展進步、更好代表和實現最廣大人民的根本利益上來，使黨的工作和黨的建設更加符合科學發展觀的要求，為科學發展提供可靠的政治和組織保障。

全黨同志要全面把握科學發展觀的科學內涵和精神實質，增強貫徹落實科學發展觀的自覺性和堅定性，著力轉變不適應不符合科學發展觀的思想觀念，著力解決影響和制約科學發展的突出問題，把全社會的發展積極性引導到科學發展上來，把科學發展觀貫徹落實到經濟社會發展各個方面。

（節選自胡錦濤《高舉中國特色社會主義偉大旗幟為奪取全面建設小康社會新勝利而奮鬥》，人民出版社 2007 年版）

編選說明 ●●●

2007 年 10 月 15 日，中國共產黨第十七次全國代表大會隆重召開。胡錦濤總書記在黨的十七大報告中明確指出：「科學發展觀，第一要義是發展，核心是以人為本，基本要求是全面協調可持續，根本方法是統籌兼顧。」這一精闢概括，深刻揭示了科學發展觀的科學內涵和精神實質。深入貫徹落實科學發展觀，必須認真學習和全面把握科學發展觀的豐富內容，加深對科學發展觀精神實質和根本要求的理解。

擴展閱讀 ● ● ●

1. 馬克思、恩格斯：《德意志意識形態》，《馬克思恩格斯選集》第 1 卷，人民出版社 1995 年版。
2. 馬克思：《〈政治經濟學批判〉序言》，《馬克思恩格斯選集》第 3 卷，人民出版社 1995 年版。
3. 恩格斯：《社會主義從空想到科學的發展》，《馬克思恩格斯選集》第 3 卷，人民出版社 1995 年版。
4. 恩格斯：《法德農民問題》，《馬克思恩格斯選集》第 4 卷，人民出版社 1995 年版。
5. 列寧：《論「左派」幼稚性和小資產階級性》，《列寧選集》第 3 卷，人民出版社 1995 年版。
6 毛澤東：《中國革命和中國共產黨》，《毛澤東選集》第 2 卷，人民出版社 1991 年版。
7. 毛澤東：《新民主主義論》，《毛澤東選集》第 2 卷，人民出版社 1991 年版。
8. 毛澤東：《新民主主義的憲政》，《毛澤東選集》第 3 卷，人民出版社 1991 年版。
9. 毛澤東：《整頓黨的作風》，《毛澤東選集》第 3 卷，人民出版社 1991 年版。
10. 毛澤東：《堅持艱苦奮鬥，密切聯繫群眾》，《毛澤東選集》第 5 卷，人民出版社 1977 年版。

二 ●●● 西方歷代政治經典

柏拉圖

論正義與不正義

蘇：但是，真實的正義確是如我們所描述的這樣一種東西。然而它不是關於外在的「各做各的事」，而是關於內在的，即關於真正本身，真正本身的事情。這就是說，正義的人不許可自己靈魂裏的各個部分相互干涉，起別的部分的作用。他應當安排好真正自己的事情，首先達到自己主宰自己，自身內秩序井然，對自己友善。當他將自己心靈的這三個部分合在一起加以協調，彷彿將高音、低音、中音以及其間的各音階合在一起加以協調那樣，使所有這些部分由各自分立而變成一個有節制的和和諧的整體時，於是，如果有必要做什麼事的話——無論是在掙錢、照料身體方面，還是在某種政治事務或私人事務方面——他就會做起來；並且在做所有這些事情過程中，他都相信並稱呼凡保持和符合這種和諧狀態的行為是正義的好的行為，指導這種和諧狀態的知識是智慧，而把只起破壞這種狀態作用的行為稱作不正義的行為，把指導不和諧狀態的意見稱作愚昧無知。

格：蘇格拉底，你說得非常對。

蘇：如果我們確定下來說，我們已經找到了正義的人、正義的國家以及正義人裏的正義和正義國家裏的正義各是什麼了，我想，我們這樣說是沒有錯的。

格：真的，沒有說錯。

蘇：那麼，我們就定下來了？

格：就這麼定下來吧。

蘇：這個問題就談到這裏為止了。下面我認為我們必須研究不正義。

格：顯然必須研究它了。

蘇：不正義應該就是三種部分之間的爭鬥不和、相互間管閒事和相互干涉，靈魂的一個部分起而反對整個靈魂，企圖在內部取得領導地位——它天生就不應該領導的而是應該像奴隸一樣為統治部分服務的，——不是嗎？我覺得我們要說的正是這種東西。不正義、不節制、懦怯、無知，總之，一切的邪惡，正就是三者的混淆與迷失。

格：正是這個。

蘇：如果說不正義和正義如上所述，那麼，「做不正義的事」、「是不正義的」，還有下面的「造成正義」——所有這些詞語的含義不也都跟著完全清楚了嗎？

格：怎麼會的？

蘇：因為它們完全像健康和疾病，不同之點僅在於後者是肉體上的，前者是心靈上的。

格：怎麼這樣？

蘇：健康的東西肯定在內部造成健康，而不健康的東西在內部造成疾病。

格：是的。

蘇：不也是這樣嗎：做正義的事在內部造成正義，做不正義的事在內部造成不正義？

格：必定的。

蘇：但是健康的造成在於身體內建立起這樣的一些成分：它們合自然地有的統治著有的被統治著，而疾病的造成則在於建立起了這樣一些成分：它們僅自然地有的統治著有的被統治著。

格：是這樣。

蘇：正義的造成也就是在靈魂裏建立起了一些成分：它們相互間合自然地有的統治著有的被統治著，而相互間僅自然地統治著和被統治著就造成不正義，不是嗎？

格：的確是的。

蘇：因此看來，美德似乎是一種心靈的健康，美和堅強有力，而邪惡則似乎是心靈的一種疾病，醜和軟弱無力。

格：是這樣。

蘇：因此不也是這樣嗎：實踐做好事能養成美德，實踐做醜事能養成邪惡？

格：必然的。

蘇：到此看來，我們還剩下一個問題要探討的了：即，做正義的事，實踐做好事、做正義的人，（不論是否有人知道他是這樣的）有利呢，還是做不正義的人、做不正義的事（只要不受到懲罰和糾正）有利呢？

格：蘇格拉底，在我看來這個問題已經變得可笑了。因為，若身體的本質已壞，雖擁有一切食物和飲料，擁有一切財富和權力，它也被認為是死了。若我們賴以活著的生命要素的本質已遭破壞和滅亡，活著也沒有價值了。正義已壞的人儘管可以做任何別的他想做的事，只是不能擺脫不正義和邪惡，不能贏得正義和美德了。因為後兩者已被證明是我們已經表述過的那個樣子的。

蘇：這個問題是變得可笑了。但是，既然我們已經爬達這個高度了，（在這裏我們可以最清楚地看到這些東西的真實情況），我們必須還是不懈地繼續前進。

（節選自〔古希臘〕柏拉圖《理想國》，商務印書館 1986 年版）

編選說明 •••

《理想國》是古希臘著名哲學家柏拉圖（Plato，公元前 427-前 347 年）重要的對話體著作之一。全書以理念論為基礎，通過描寫蘇格拉底與其它人對話的方式,探討了哲學、政治、倫理道德、教育、文藝等等各方面的問題，設計了一個可以達到公正的理想國，這種理想國是人類歷史上最早的烏托邦。該書明確提出，人類追求的正義與善就是理想國的主題，也可以說是整個宇宙存在的本質，對後世影響極大。

亞里斯多德

政治共同體的終極目的是至善

我們看到，所有城邦都是某種共同體，所有共同體都是為著某種善而建立的（因為人的一切行為都是為著他們所認為的善）。很顯然，由於所有的共同體旨在追求某種善，因而，所有共同體中最崇高、最有權威、並且包含了一切其它共同體的共同體，所追求的一定是至善。這種共同體就是所謂的城邦或政治共同體。

有人認為政治家、君王、家長以及主人其意思是同一的，這種說法是荒謬絕倫的（他們認為，這些人只是在其所治理人數的多寡上有所不同而已，而在形式上並無差別。例如治理少數幾個人的就叫做主人，治理較多一些人的就叫做家長，治理大批人的叫做政治家或君主。彷彿一個大家庭與一個小城邦沒有什麼區別似的。政治家和君主的區別就在於，君主是以一己的權威實行其統治，而依據政治學原則輪流為治的便是政治家。這種觀點都是不正確的）。根據我們一向所應用的方法加以考察，對此說法人們就會很明白。正如在其它方式下不一樣，我們必須將組合物分解為非組合物（它是全體中的最小部分），所以我們必須找出城邦所由以構成的簡單要素，以便可以看出它們相互間有什麼區別，我們是否能從各類統治中得出什麼結論來。

如果有人從事務的根源來考察，對於這些事物就像對其它食物一樣，我們將獲得最清晰的認識。首先必定存在著這樣的結合體，它們一旦分離便不可能存在，例如為了種族的延續而存在的男人和女人的結合體（人們並不是有意如此，而是和其它動物、植物一樣，出於這樣一種本性，即欲望遺留下和自己相同的後代）。天生的統治者和被統治者為了得以保存而建立了聯合體。因為能夠運籌帷幄的人天生就適於做統治者和主人，那些能夠用身體去勞作的人是被統治者，而且是天生的奴隸；所以主人和奴隸具有共同的利益。女人和奴隸在本性上是不同的（因為自然創造出女人並不像鐵匠製造出具有多種用途的德爾菲小刀，他使一事物只具有一種功能，所有的工具當只適於一種功能而非多種功能時，便是製造的最好的工具）；但是在野蠻人中女人和奴隸則處於同樣的地位。其原因就在於，在他們之中沒有天生的統治者，它們所形成的共同體只不過是女奴隸和男奴隸的結合而已。

從這兩種共同體中首先形成的是家庭，所以赫西俄德的這種說法是正確的：

最先的是房屋、妻子以及耕牛，因為耕牛是窮人的奴隸。所以家庭是為了滿足人們日常生活需要而自然形成的共同體，加隆達斯將家庭成員稱為「食櫥伴侶」，克里特的厄庇米尼德斯則稱其為「食槽伴侶」。當多個家庭為著比生活必需品更多的東西而聯合起來時村落便產生了。村落最自然的形式似乎是由一個家庭繁衍而來，其中包括孩子和孩子的孩子，所以有人說他們是同乳所哺。所以最早的城邦由國王治理，其原因就在於此。現在有些未開化的民族仍然如此。希臘人在結盟前就是由君王統治的。所有的家庭都是由年長者治理，所以在同一家庭繁衍而來的成員的集聚地，情況也是這樣，因為他們都屬於同一家族。正如荷馬所說：每個人給自己的妻兒立法。因為他們居住分散，古代的情況就是這樣。這就是為什麼人們說神也由君主統治，因為現代和古代的人都受君王統治，它們想像不但神的形象和他們一樣，生活方式也和他們一樣。

當多個村落為了滿足生活需要，以及為了生活得美好結合成一個完全的共同體，大到足以自足或近於自足時，城邦就產生了。如果早期的共同體形式是自然的，那麼城邦也是自然的。因為這就是它們的目的，事物的本性就是目的。每一個事物是什麼，只有當其完全生成時，我們才能說出它們每一個的本性，比如人的、馬的以及家庭的本性。終極原因和目的是至善，自足便是目的和至善。

由此可見，城邦顯然是自然的產物，人天生是一種政治動物，在本性上而非偶然地脫離城邦的人，他要麼是一位超人，要麼是一個鄙夫。

自然，就像我們常說的那樣，不會作徒勞無益之事，人是唯一具有語言的動物。聲音可以表達苦樂，其它動物也有聲音（因為動物的本性就是感覺苦樂並互相表達苦樂），而語言則能表達利和弊以及諸如公正或不公正等；和其它動物比較起來，人的獨特之處就在於，它具有善與惡、公正與不公正以及諸如此類的感覺；家庭和城邦乃是這類生物的結合體。

（節選自〔古希臘〕亞里斯多德《政治學》，商務印書館 2009 年版）

編選説明 •••

亞里斯多德（Aristotle，公元前 384—前 322），古代希臘最偉大的思想家、哲學家和科學家，有作品《政治學》流傳後世。該書開闢西方政治學研究之先河，通過對 158 個希臘城邦的比較研究，探索政體的穩定性及其生成條件。該書明確提出，政治學是一切科學和技藝中最有權威或最主要的學術，政治學的追求是為了人的最高的善，為後來政治學説的發展與完善奠定了重要的理論基礎，對西方政治發展的傾向和內容產生了深遠的影響。

馬基雅維利

一切良好的忠言，必須產生於領導者的賢明

第二十三章・應該怎樣避開諂媚者

我不想略去一件重要的事情，在這件事情上，君主如果不是十分審慎或者不是很好地選擇，他們就很難保護自己不犯錯誤。這就是來自諂媚者的危險，這種人充滿朝廷。因為人們對自己的事情是如此地自滿自足，並且自己欺騙自己，以致他們難以防禦這種瘟疫；而且如果他們想防禦的話，他們就要冒著被人輕視的危險。因為一個人要防止人們阿諛諂媚，除非人們知道對你講真話不會得罪你，此外沒有別的辦法；但是，當大家能夠對你講真話的時候，對你的尊敬就減少了。

因此一位明智的君主必須選擇第三種方法，在他的國家里選拔一些有識之士，單獨讓他們享有對他講真話的自由權，但只是就他所詢問的事情，而不是任何其它事情。但是他對於一切事情都必須詢問他們，並且聽取他們的意見；然後按照自己的看法作出決定。對於這些忠告和他們當中的每一個人，他的為人要使每一個人都認識到誰愈敢言，誰就愈受歡迎。除了這些人之外，他應該不再聆聽別人的話；他推行已經決定的事情，並且對於自己的決定堅決不改變。任何人如果不如此行事，不是被那些諂媚者所毀，就是由於主張多變導致變革頻

繁，其結果是，他不受人敬重。

關於這個問題，我想引述當代的一個例子。當今的皇帝馬西米利阿諾的寵臣盧卡神父談及皇帝陛下時說：皇帝從不諮詢任何人的意見，而且又從來未能按照自己的願望行事。這是由於他採取了同上述的相反的方法。因為這位皇帝是一位好守秘密的人，他既不把自己的計劃通知任何人，亦不聽取關於這些計劃的任何意見。但是當他把這些計劃付諸實施的時候，它們就開始為人們知悉和發現，並開始受到他周圍的人們反對。於是他很輕易地就改弦易轍。結果，他今日所做的事情，到了第二天就推翻了；誰也不理解他想的是什麼或者打算做什麼事情，並且不能夠信賴他的決定。

因此，一位君主應該常常徵求意見，但是應該在他自己願意的時候，而不是在他人願意的時候；另一方面，對於他不徵詢意見的任何事情，他應該使每一個人都沒有提意見的勇氣。但是，他必須是一位經常不斷的徵詢意見者，而且關於他徵詢意見的一切事情，他必須是一位耐心傾聽真話的聆聽者。如果他瞭解到任何人不論出於任何原因，不把真話告訴他，他應該赫然震怒。因為許多人認為任何贏得英明之譽的君主，其所以致此，不是由於他的本質，而是由於他身邊有一些好的顧問，毫無疑問，那是誤解了。因為這裏有一條從來顛撲不破的一般法則：一位君主如果不是本人明智的話，他就不可能很好地獲得忠告；除非碰運氣，他把自己寄託在某一個人身上，完全由後者支配，而此人恰好是一個極為英明的人。在這種場合，君主可能過得很好，然而日子長不了，因為那個支配者在短促的時間內會把他的國家篡奪過來。但是，當所諮詢的人不止一個人的時候，君主如果不明智就絕不能夠獲得統一的忠言，自己也不知道怎樣把它們統一起來；那些顧問每個人都想著他自己的利益，而君主卻不能矯正或者洞察他們。情況不可能是兩樣的，因為除非某種需要驅使人們必須對你忠誠外，他們總是變成邪惡的。

因此必須得出這樣的結論：一切良好的忠言，不論來自任何人，必須產生於君主的賢明，而不是君主的賢明產生於良好的忠言。

（節選自〔意大利〕馬基雅維利《君主論》，商務印書館 1985 年版）

編選説明

《君主論》系統地總結了歷代統治階級的統治方法，論述了君主應該怎樣進行統治和維持，認為軍隊是一切國家的主要基礎，君主要擁有自己的軍隊，並應靠殘暴和訛詐取勝。君王統治要以實力為原則，不擇手段去實現自己的目的，同時具有狐狸的狡猾與獅子的勇猛。該書已經擺脱了傳統宗教思想的束縛，用歷史事實來解釋政治和法律領域中的問題。作為第一部政治禁書，在人類思想史上，還從來沒有哪本著作像《君主論》這樣，一面被稱為邪惡的聖經，被後世稱為「馬基雅維利主義」；另一面卻獲得了空前的聲譽，該書作者，意大利政治家馬基雅維利被譽為「近代政治學之父」。

莫爾

理想中的「烏有之鄉」

在烏托邦，一切歸全民所有。因此，只要公倉裝滿糧食，就決無人懷疑任何私人會感到什麼缺乏。原因是，這兒對物質分配十分慷慨。這而看不到窮人和乞丐，沒人一無所有，而又每人富裕。

當人們毫無憂慮、快樂而平靜地生活，不為吃飯問題操心，不因妻子有所需索的吵鬧而煩惱，不怕男孩貧困，不怕女孩沒有妝奩，而是對於自己以及家中的妻、兒、孫、曾孫、玄孫，以及綿綿不絕的無窮盡後代的生活和幸福都感到放心，那麼，還有什麼對他們來說是更大的財富呢？我們還要考慮到，那些曾經從事勞動而現在已經喪失勞動力的人，和仍然從事勞動的人受到同樣的照顧。

於是，我倒願意聽一聽誰敢於把這種公道無私和流行於其它各國的所謂正義做個比較。我敢保證，在哪些國家中，我找不到關於正義以及公道無私的些微蹤影，任何樣的貴族以及金鋪老闆和放高利貸者，還有其實一事不做或做非國家所急需的事的人，他們全都在遊蕩和無益的奔逐中過著奢侈豪華的生活！這算是什麼貨色的正義呢？而一般勞動者、車夫、木匠以及農民，卻不斷辛苦勞作，牛馬不如，可是他們的勞動是非常必要的，所以任何國家倘缺少這種勞動，甚至維持不了一年。然而這些人所得不足以養家糊口，生活淒慘，還抵不上牛馬的境遇。牛馬不需這樣不停地做工，吃的芻秣不一定更拙劣，實際上味道還更好些，牛馬也不必為將來擔憂。至於這些做工的，不但現在必須一無所獲地勞累受苦，而且不免為將來貧苦的晚年感到非常痛苦。他們每天的收入如此微薄，甚至不敷當天開支，更談不上有結餘可以逐日儲存起來養老。

這豈不是一個缺乏公正和不知恩義的國家嗎？所謂上流紳士、金鋪老闆等這般傢伙，不事勞動、徒然寄生，追求無益的享樂，卻從國家取得極大的報償。相反，國家對於農民、礦工、一般勞動者、車夫以及木匠，卻絲毫不慷慨，而沒有他們就會是國將不國。這些人為國家浪擲了青春勞力後，接受老病的折磨，生活窮苦不堪，可是國家忘記他們沒有睡眠的長夜，忘記他們的雙手勞動所取得的全部巨大利益，十分無輕易地讓他們潦倒不堪而死，作為對他們的酬報。

更糟的是富人不僅私下行騙，而且利用公共法令以侵吞窮人每日收入的一部分。即使富人不曾這樣侵吞，那些對國家最有貢獻的人卻獲得最低的酬報，這已經看來不公平了。

可是現在富人進一步破壞並貶低正義，以至於制定法令，使其冒充正義。因此，我將現今各地的一切繁榮的國家反覆考慮之後，我斷言我見到的無非是富人狼狽為奸，盜用國家名義為自己謀利。他們千方百計，首先把自己用不法手段聚斂的全部財富安全地保存起來，其次用最低廉的工價剝削所有窮人的勞動。等到富人假借公眾名義，即是說也假借窮人的名義，把他們的花招規定為必須遵守的東西，這樣的花招便成為法律了。

然而，這些壞蛋雖把可以滿足全體人民的一切財富都私相瓜分了，他們還是遠遠享受不到烏托邦國家的幸福啊！在烏托邦，金錢既不使用，人們也就不談金錢。這就砍掉多少煩惱啊！這就剷除了多少罪惡啊！誰不知道，金錢既然取消，欺騙、盜竊、搶劫、騷亂、喧鬧、叛亂、暗殺、變節、放毒等雖然每天受到懲罰，卻只能施以打擊而不能制止的罪行，就不發生了？誰又不知道，恐懼、焦慮、煩惱、辛苦地勞作、不眠的通宵，也會隨金錢的消失而消失？而且，貧窮似乎是僅僅缺乏金錢而造成，一旦金錢到處廢除，貧窮也就馬上減少以致消失了。

為了使這個斷言顯得更清楚，設想我們遭到一個收成不好的荒年，好幾千人餓死。我要強調的是，到了荒年盡頭，如果我們清查富人的糧倉，我們就會發現大量的糧食。要是餓死病死的人當初都分到這些糧食，誰也不會感到氣候和土壤曾造成了歉收。生活必需品本來不難取得，可是該死的金錢這個大發明，據說是用於便利我們取得生活必需品的，實際上卻阻礙了我們取得必需的東西。

毫無疑問，甚至富有者也覺得：與其吃著不盡，何如夠用夠使。與其為如山的財寶所包圍，何如使大量的煩惱消除。同樣毫無疑問，人們對自己利益的關心和人們對我們的救世主基督的關心（基督由於有大智慧，不會不瞭解什麼是最好的東西；由於慈善為懷，不會不把他所瞭解是最好的東西當作忠告），早就應該使得全世界都採用烏托邦國家的法制，若不是那唯一的怪魔加以反對，這怪魔便是驕狂，他是一切禍害之王、一切禍害之母。

驕狂所據以衡量繁榮的不是其自身的利，而是其它各方的不利。驕狂哪怕能成為女神，也不願做這個女神。如果她再也看不到她可以欺凌嘲笑的可憐蟲，如果她不能在這些可憐蟲面前顯示自己的幸運，如果她誇耀的財富不能使這些可憐蟲因貧窮而受到折磨並且更加貧窮。這條從地獄鑽出的蛇盤繞在人們的心上，如同⍰魚一般，阻礙人們走上更好的生活道路。

驕狂的人已經植根很深，不容易拔掉。所以，我很高興看到至少烏托邦人享有我巴不得所有的人都能享有的哪種形式的國家。烏托邦人採取了那樣的生活制度以奠定他們的國家基礎，這個基礎不但是最幸福的，而且據人們所能預見，將永遠持續下去。烏托邦人在本國剷除了野心和派系以及其它一切罪惡的根源。因此他們沒有因內爭而引起糾紛的危險，而內爭曾是毀滅了許多城市的穩固繁榮的唯一原因。只要一國內部融洽一致，並有健全的制度，那麼，領國的統治者就無從使這樣的國家發生動搖，儘管這些統治者心懷覬覦，常來擾亂，然而總是被擊退。

（節選自〔英〕莫爾《烏托邦》，商務印書館 2008 年版）

編選說明 ● ● ●

《烏托邦》一書是英國空想社會主義者湯瑪斯·莫爾 1515－1516 年出使歐洲時寫成的。書的全名原為《關於最完美的國家制度和烏托邦新島的既有益又有趣的金書》。《烏托邦》首次用「羊吃人」來揭露罪惡的「圈地運動」，並描述了一個美好的烏托邦。該書創造了「烏托邦」一詞，開創了空想社會主義學說，其蘊含的思想也成為現代社會主義思潮的來源之一。

霍布斯

論自由

自由一詞就其本義說來，指的是沒有阻礙的狀況，我所謂的阻礙，指的是運動的外界障礙，對無理性與無生命的造物和對於有理性的造物同樣可以適用。不論任何事物，如果由於受束縛或被包圍而只能在一定的空間之內運動、而這一空間又由某種外在物體的障礙決定時，我們就說它沒有越出這一空間的自由。因此，所有的生物當它們被牆壁或鎖鏈禁錮或束縛時，或是當水被堤岸或器皿擋住、而不擋住就將流到更大的面積上去時，我們一般都說它們不能像沒有這些外界障礙時那樣自由地運動。但當運動的障礙存在於事物本身的構成之中時，我們往往就不說它缺乏運動的自由，而只說它缺乏運動的力量，像靜止的石頭和臥病的人便都是這樣。

自由人一詞根據這種公認的本義來說，指的是在其力量和智慧所能辦到的事物中，可以不受阻礙地做他所願意做的事情的人。但把自由這一語詞運用到物體以外的事物時就是濫用了。因為沒有運動的事物就不會受到障礙。因此，舉個例子來講，當我們說一條道路是自由的這句話時，指的並不是這條道路本身的自由，而只是指在這條道路上行走的人不受阻礙。當我們說贈與是自由的時候，所指的決不是贈與物的自由，而只是贈與者的自由，即在贈與上他不受任何法律或信約的約束。同樣的道理，當我們能自由地說話時，這也不是聲音的自由或吐字的自由，而是指說話的人沒有法律限制他以旁的方式說話。最後，從自由意志一詞的用法中，我們也不能推論出意志、欲望或意向的自由，而只能推論出人的自由；這種自由就是他在從事自己具有意志、欲望或意向想要做的事情上不受阻礙。

畏懼與自由是相容的。例如一個人因為害怕船隻沉沒而將貨物拋到海中時，他是十分情願地這樣做的。假如願意的話，也可以不這樣做。因之，這便是有自由的人的行為。同樣的道理，人們有時僅只是因為害怕監禁而還債，同時由於並沒有人阻攔他不還債，所以這便是有自由的人的行為。一般說來，人們在國家之內由於畏懼法律而做的一切行為都是行為者有自由不做的行為。

自由與必然是相容的。比如水順著河道往下流，非但是有自由，而且也有必然性存在於其中。人們的自願行為情形也是這樣。這種行為由於來自人們的意志，所以便是出於自由的行為。但由於人的每一種出於意志的行為、欲望和意向都是出自某種原因，而這種原因又出自一連串原因之鏈中的另一原因，其第一環存在於一切原因的第一因——上帝手中，所以便是出於必然的行為。所以對於能看到這些原因的聯繫的人說來，人們一切自願行為的必然性就顯得很清楚了。因此，垂察並規定萬事萬物的上帝也垂察人們按自己的意志行事的自由，使之必須帶有剛好只做出上帝所願的行為的必然性。因為人們雖然可以做出許多上帝沒有指令，因而也就沒有授權的事情，但他們對任何事物的激情或欲望卻沒有一種不是以上帝的意志為原因的。要是上帝的意志不保證人們的意志具有必然性，因而保證了依存於人類意志的一切都具有必然性的話，那麼人類的自由便會跟上帝的全能與自由相衝突、相妨害了。對於目前的問題說來，以上所寫的一切已足以說明唯一可以正式稱為自由的天賦自由。

正如人們為了取得和平、並由此而保全自己的生命，因而製造了一個人為的人，這就是我們所謂的國家一樣，他們也製造了稱為國法的若干人為的鎖鏈，並通過相互訂立的信約將鎖鏈的一端係在他們賦予主權的個人或議會的嘴唇上，另一端則係在自己的耳朵上。這些鎖鏈就其本質說來是不堅固的，它們之所以得以維持，雖然並不在於難以折斷，但卻是在於折斷後所將發生的危險。

現在我所要談的臣民的自由只是相對於這些鎖鏈而言的自由。我們可以看到，世界上沒有一個國家能訂出足夠的法規來規定人們的一切言論和行為，這種事情是不可能辦到的；這樣就必然會得出一個結論說：在法律未加規定的一切行為中，人們有自由去做自己的理性認為最有利於自己的事情。因為自由的本義如果指的是人身自由，也就是不受鎖鏈鎖禁和監禁的自由；人們顯然已經享有這種自由了，他們現在還像這樣喧嚷，要求這種自由就是非常荒謬的。此外，如果我們把自由看成是免除法律的自由，那麼，人們像現在這樣要求那種自由便也同樣是荒謬的；根據這種自由，所有其它人便都會自己主宰自己的生命了。然而這種事情雖然荒謬，卻是人們所要求的。他們不懂得，法律沒有一個人或一群人掌握武力使之見諸實行，就無力保護他們。因此，臣民的自由只有在主權者未對其行為加以規定的事物中才存在，如買賣或其它契約行為的自由，選擇自己的住所、飲食、生業，以及按自己認為適宜的方式教育子女的自由等等都是。

然而我們不能認為生殺予奪的主權由於這種自由而被取消或受到

限制。我們已經說明，主權代表人不論在什麼口實之下對臣民所做的事情沒有一件可以確切地被稱為不義或侵害的；因為每一個臣民都是主權者每一行為的授權人，所以他除開自己是上帝的臣民、因而必須服從自然律以外，對其它任何事物都決不缺乏權利。於是，在一個國家中，臣民可以、而且往往根據主權者的命令被處死，然而雙方都沒有做對不起對方的事。當耶穌他在祭禮中把自己的女兒當作犧牲時情形就是這樣。在這個例子和類似的情形下，像這樣死去的人有自由做出他的行為，但這樣把他處死卻沒有對他造成侵害。當一個主權君主處死一個無辜的臣民時，同樣的道理也可以成立。這種行為雖然由於違反公道而違反自然律，像大衛殺死烏利亞就是這樣。但這對烏利亞說來卻並不構成侵害，而只對上帝構成侵害；原因是任意做他所願做的事情的權利已經由烏利亞本人交付給大衛了，所以對烏利亞不能構成侵害。但對上帝說來卻構成侵害，因為大衛是上帝的臣民，自然律禁止他做一切不公道的事。這一區別，當大衛本身對這事表示懺悔時顯然肯定了，他說：「我對你犯罪、唯獨得罪了你。」同樣的情形，當雅典人民把國內最有勢力的人放逐十年時，也認為自己並沒有做什麼不義的事情。然而他們從來不問被放逐的人犯了什麼罪，而只問他可能造成什麼損害。他們甚至下命令放逐自己不知道是誰的人。每一個公民都把他想要放逐的人的名字寫在貝殼上帶到市場上去，實際上不進行控訴，有時就把阿利斯泰提放逐出去了，因為他具有公正的聲譽；有時放逐的又是粗鄙地開玩笑的海帕波羅斯之類的人物，原因就是給他開開玩笑。但我們不能說雅典的主權者人民沒有權利放逐他們，或者雅典人沒有自由開玩笑或處事公正。

（節選自〔英〕霍布斯《利維坦》，商務印書館 1986 年版）

編選說明 ●●●

英國資產階級革命時期的政治思想家湯瑪斯·霍布斯於 1651 年出版了以怪獸 Leviathan 命名的著作——《利維坦》，意在藉此論證君權至上，反對「君權神授」。該書首先，開宗明義宣佈了作者的徹底唯物主義自然觀和一般的哲學觀點；其次描述了社會契約論的主題；再次嚴厲抨擊了教皇的統治，為克倫威爾的專政在思想上、理論上進行辯護。該書是第一部運用自然科學機械運動的原理來研究政治學的著作，對後世政治學研究方法的創新產生了極大的影響。

洛克

政府的目的只是為了人民的和平、安全與公眾福利

第九章・論政治社會和政府的目的

123・如果人在自然狀態中是如前面所說的那樣自由，如果他是他自身和財產的絕對主人，同最尊貴的人平等，而不受任何人的支配，為什麼他願意放棄他的自由呢？為什麼他願意丟棄這個王國，讓自己受制於其它任何權力的統轄和控制呢？對於這個問題，顯然可以這樣回答：雖然他在自然狀態中享有那種權利，但這種享有是很不穩定的，有不斷受別人侵犯的威脅。既然人們都像他一樣有王者的氣派，人人同他都是平等的，而大部分人又並不嚴格遵守公道和正義，他在這種狀態中對財產的享有就很不安全、很不穩妥。這就使他願意放棄一種儘管自由卻是充滿著恐懼和經常危險的狀況；因而他並非毫無理由地設法和甘願同已經或有意聯合起來的其它人們一起加入社會，以互相保護他們的生命、特權和地產，即我根據一般的名稱稱之為財產的東西。

124・因此，人們聯合成為國家和置身於政府之下的重大的和主要的目的，是保護他們的財產；在這方面，自然狀態有著許多缺陷。

第一，在自然狀態中，缺少一種確定的、規定了的、眾所週知的法律，為共同的同意接受和承認為是非的標準和裁判他們之間一切糾紛的共同尺度。因為，雖然自然法在一切有理性的動物看來，是既明顯而又可以理解的，但是有些人由於利害關係而存偏見，也由於對自然法缺乏研究而茫然無知，不容易承認它是對他們有拘束力的法律，可以應用於他們各自的情況。

125．第二，在自然狀態中，缺少一個有權依照既定的法律來裁判一切爭執的知名的和公正的裁判者。因為，既然在自然狀態中的每一個人都是自然法的裁判者和執行者，而人們又是偏袒自己的，因此情感和報復之心很容易使他們超越範圍，對於自己的事件過分熱心，同時，疏忽和漠不關心的態度又會使他們對於別人的情況過分冷淡。

126．第三，在自然狀態中，往往缺少權力來支持正確的判決，使它得到應有的執行。凡是因不公平而受到損害的人，只要他們有能力，總會用強力來糾正他們所受到的損害；這種反抗往往會使懲罰行為發生危險，而且時常使那些企圖執行懲罰的人遭受損害。

127．這樣，人類儘管在自然狀態中享有種種權利，但是留在其中的情況既不良好，他們很快就被迫加入社會。所以，我們很少看到有多少人能長期在這種狀態中共同生活。在這種狀態中，由於人人有懲罰別人的侵權行為的權力，而這種權力的行使既不正常又不可靠，會使他們遭受不利，這就促使他們託庇於政府的既定的法律之下，希望他們的財產由此得到保障。正是這種情形使他們甘願各自放棄他們單獨行使的懲罰權力，交由他們中間被指定的人來專門加以行使；而且要按照社會所一致同意的或他們為此目的而授權的代表所一致同意的規定來行使。這就是立法和行政權力的原始權利和這兩者之所以產生的緣由，政府和社會本身的起源也在於此。

128・因為，在自然狀態中，個人除掉有享受天真樂趣的自由之外，有兩種權力。

第一種就是在自然法的許可範圍內，為了保護自己和別人，可以做他認為合適的任何事情；基於這個對全體都適用的自然法，他和其餘的人類同屬一體，構成一個社會，不同於其它一切生物。如果不是由於有些墜落的人的腐化和罪惡，人們本來無需再組成任何社會，沒有必要從這個龐大和自然的社會中分離出來，以明文協議去結成較小的和各別的組合。

一個人處在自然狀態中所具有的另一種權力，是處罰違反自然法的罪行的權力。當他加入一個私人的（如果我可以這樣稱它的話）或特定的政治社會，結成與其餘人類相判分的任何國家的時候，他便把這兩種權力都放棄了。

129・第一種權力，即為了保護自己和其餘人類而做他認為合適的任何事情的權力，他放棄給社會，由它所制定的法律就保護他自己和該社會其餘的人所需要的程度加以限制。

社會的這些法律在許多場合限制著他基於自然法所享有的權利。

130・第二，他把處刑的權力完全放棄了，並且按社會的法律所需要的程度，應用他的自然力量（以前，他可以基於他獨享的權威，於認為適當時應用它來執行自然法）來協助社會行使執行權。因為他這時既然處在新的狀態中，可以從同一社會的其它人的勞動、幫助和交往中享受到許多便利，又可以享受社會的整個力量的保護，因此他為了自保起見，也應該根據社會的幸福、繁榮和安全的需要，儘量放棄他的自然權利。這不僅是必要的，而且是公道的，因為社會的其它成員也同樣是這樣做的。

131·但是，雖然人們在參加社會時放棄他們在自然狀態中所享有的平等、自由和執行權，而把它們交給社會，由立法機關按社會的利益所要求的程度加以處理，但是這只是出於各人為了更好地保護自己、他的自由和財產的動機（因為不能設想，任何理性的動物會抱著每況愈下的目的來改變他的現狀），社會或由他們組成的立法機關的權力絕不容許擴張到超出公眾福利的需要之外，而是必須保障每一個人的財產，以防止上述三種使自然狀態很不安全、很不方便的缺點。所以，誰握有國家的立法權或最高權力，誰就應該以既定的、向全國人民公佈週知的、經常有效的法律，而不是以臨時的命令來實行統治；應該由公正無私的法官根據這些法律來裁判糾紛；並且只是對內為了執行這些法律，對外為了防止或索償外國所造成的損害，以及為了保障社會不受入侵和侵略，才得使用社會的力量。而這一切都沒有別的目的，只是為了人民的和平、安全和公眾福利。

（節選自〔英〕洛克《政府論》下篇，商務印書館 1964 年版）

編選說明 ●●●

《政府論》為英國約翰·洛克（John Locke）1690 年出版的政治著作，旨在為 1688 年英國光榮革命的正當性辯護。《政府論》分為上下兩篇。上篇主要是針對英國當時的作家菲爾默所持「君權神授論」的論戰，帶有很強的針砭時弊之意味，可歸之為「破」。下篇的重點是「立」，闡釋了其君主立憲的政治思想。該書彙集了洛克的主要政治哲學思想，不僅使洛克成為古典自由主義思想的集大成者，而且影響了以後的世界政治歷史進程。

盧梭

人是生而自由的，但卻無往不在枷鎖之中

我要探討在社會秩序之中，從人類的實際情況與法律的可能情況著眼，能不能有某種合法的而又確切的政權規則。

在這一研究中，我將努力把權利所許可的和利益所要求的結合在一起，以便使正義與功利二者不致有所分歧。我並未證明我的題旨的重要性，就著手探討本題。人們或許要問，我是不是一位君主或一位立法者，所以要來論述政治呢？我回答說，不是；而且正因為如此，我才要論述政治。假如我是個君主或者立法者，我就不會浪費自己的時間來空談應該做什麼事了；我會去做那些事情的，否則，我就會保持沉默。

生為一個自由國家的公民並且是主權者的一個成員，不管我的呼聲在公共事務中的影響是多麼微弱，但是對公共事務的投票權就足以使我有義務去研究它們。我每次對各種政府進行思索時，總會十分欣幸地在我的探討之中發現有新的理由來熱愛我國的政府！

第一章・第一卷的題旨

人是生而自由的，但卻無往不在枷鎖之中。自以為是其它一切的主人的人，反而比其它一切更是奴隸。這種變化是怎樣形成的？我不清楚。是什麼才使這種變化成為合法的？我自信能夠解答這個問題。

如果我僅僅考慮強力以及由強力所得出的效果，我就要說：「當人民被迫服從而服從時，他們做得對；但是，一旦人民可以打破自己身上的桎梏而打破它時，他們就做得更對。因為人民正是根據別人剝奪他們的自由時所根據的那種同樣的權利，來恢復自己的自由的，所以人民就有理由重新獲得自由；否則別人當初奪去他們的自由就是毫無理由的了。」社會秩序乃是為其它一切權利提供了基礎的一項神聖權利。然而這項權利決不是出於自然，而是建立在約定之上的。問題在於懂得這些約定是什麼。但是在談到這一點之前，我應該先確定我所要提出的東西。

第二章・論原始社會

一切社會之中最古老的而又唯一自然的社會，就是家庭。然而孩子也只有在需要父親養育的時候，才依附於父親。這種需要一旦停止，自然的聯繫也就解體。孩子解除了他們對於父親應有的服從，父親解除了他們對於孩子應有的照顧以後，雙方就都同等地恢復了獨立狀態。如果他們繼續結合在一起，那就不再是自然的，而是志願的了；這時，家庭本身就只能靠約定來維繫。

這種人所共有的自由，乃是人性的產物。人性的首要法則，是要維護自身的生存，人性的首要關懷，是對於其自身所應有的關懷；而且，一個人一旦達到有理智的年齡，可以自行判斷維護自己生存的適當方法時，他就從這時候起成為自己的主人。

因而，我們不妨認為家庭是政治社會的原始模型：首領就是父親的影子，人民就是孩子的影子；並且，每個人都生而自由、平等，他只是為了自己的利益，才會轉讓自己的自由。全部的區別就在於：在家庭裏，父子之愛就足以報償父親對孩子的關懷了；但是在國家之中，首領對於他的人民既沒有這種愛，於是發號施令的樂趣就取而代之。格老秀斯否認人類一切權力都應該是為了有利於被統治者而建立的。他引了奴隸制為例。他最常用的推論方式，一貫都是憑事實來確定權利。人們還可以採取另一種更能自圓其說的方法，但也不見得對於暴君更為有利。

按格老秀斯的說法，究竟全人類是屬於某一百個人的，抑或那一百個人是屬於全人類的，仍然是個疑問；而且他在他的全書裏似乎是傾向於前一種見解的；而這也正是霍布斯的看法。這樣，人類便被分成一群群的牛羊，每一群都有它自己的首領，首領保護他們就是為了要吃掉他們。正猶如牧羊人的品質高出於羊群的品質，作為人民首領的人類牧人，起品質也就同樣地高出於人民的品質。據費龍的記載，卡裏古拉皇帝便是這樣推理的，他從這種類比竟然做出結論說：君王都是神明，或者說，人民都是畜牲。這位卡裏古拉的推論又復活成為霍布斯和格老秀斯兩人的推論。亞里斯多德早在他們之前也曾說過，人根本不是天然平等的，而是有些人天生是作奴隸的，另一些人天生是來統治的。

亞里斯多德是對的，然而他卻倒果為因了。凡是生於奴隸制度之下的人，都是生來作奴隸的；這是再確鑿不過的了。奴隸們在枷鎖之下喪失了一切，甚至喪失了擺脫枷鎖的願望；他們愛他們自己的奴役狀態，有如憂裏賽斯的同伴們愛他們自己的畜牲狀態一樣。因而假如真有什麼天然的奴隸的話，那只是因為已經先有違反了天然的奴隸。

強力造出了最初的奴隸，他們的怯懦則使他們永遠當奴隸。

我完全沒有談到亞當王或者挪亞皇，也就是那劃分了全世界的三大君王的父親，雖然有人認為在他們的身上也可以看到像薩土林的兒子一樣的行為。我希望人們會感謝我的這種謙遜；因為，作為這些君主之一的一個直系苗裔，或許還是長房的後代，何以知道考訂起族起來，我就不會被發現是全人類合法的國王呢？無論如何，人們決不會不同意亞當曾是全世界的主權者，正如魯濱孫只要是他那荒島上的唯一居民，便是島上的主權者一樣。並且這種帝國還有著這樣的好處，即國君可以安享王位，無須害怕叛亂、戰爭或者謀篡。

第三章・論最強者的權利

即使是最強者也決不會強得足以永遠做主人，除非他把自己的強力轉化為權利，把服從轉化為義務。由此就出現了最強者的權利。這種權利表面上看來像是譏諷，但實際上已經被確定為一種原則了。可是，難道人們就不能為我們解釋一下這個名詞嗎？強力是一種物理的力量，我看不出強力的作用可以產生什麼道德。向強力屈服，只是一種必要的行為，而不是一種意志的行為；它最多也不過是一種明智的行為而已。在哪種意義上，它才可能是一種義務呢？

姑且假設有這種所謂的權利。我認為其結果也不外乎是產生一種無法自圓的胡說。因為只要形成權利的是強力，結果就隨原因而改變；於是，凡是凌駕於前一種強力之上的強力，也就接替了它的權利。只要人們不服從而能不受懲罰，人們就可以合法地不再服從；而且，既然最強者總是有理的，所以問題就只在於怎樣做才能使自己成為最強者。然而這種隨強力的終止便告消滅的權利，又算是什麼一種權利呢？如果必須要用強力使人服從，人們就無須根據義務而服從了；因而，只要人們不再是被迫服從時，他們也就不再有服從的義務。可見權利一詞，並沒有給強力增添任何新東西；它在這裏完全沒有任何意義。

你應該服從權力。如果這就是說，應該向強力屈服，那麼這條誡命雖然很好，卻是多餘的；我可以擔保它永遠都不會被人破壞的。一切權力都來自上帝，這一點我承認；可是一切疾病也都來自上帝。難道這就是說，應該禁止人去請醫生嗎？假如強盜在森林的角落裏抓住了我；不僅是由於強力我必須得把錢包交出來，而且如果我能藏起錢包來，我在良心上不是也要不得不把它交出來嗎？因為畢竟強盜拿著的手槍也是一種權力啊。

那麼，就讓我們承認：強力並不構成權利，而人們只是對合法的權力才有服從的義務。這樣，就總歸要回到我的原始的問題上面來。

（節選自〔法〕盧梭《社會契約論》，商務印書館 2003 年版）

編選說明 ●●●

《社會契約論》是法國思想家讓·雅克·盧梭於 1762 年寫成的一本書。該書較為系統地闡述了社會契約的產生、人民主權的權利、政府及其運作形式和各種社會組織形式，深入探討了是否存在合法的政治權威這個重大的主題，明確提出了一個理想的社會建立於人與人之間而非人與政府之間的契約關係，政府的權力來自人民意志的結論。該書論述的主權在民的思想，是現代民主制度的基石。

潘恩

要獨立才能擁有完整的民主

在以下的篇幅中，我只談些簡單的事實、普通的觀點和常識。除了希望大家能拋開偏見和成見，讓理智和情感自行決定以外，沒有其它什麼要先向讀者交代的。只希望大傢具備人真實的品質，確切地說，不要失去人的本質，胸襟寬闊有氣度，能夠具有長遠的眼光。

以英美為題材的書可謂洋洋大觀。處於不同的角度和不同的動機，各階層人士展開討論。但一切爭論都是徒勞無功的。辯論一旦結束，武器最終決定這場戰爭的勝負。英國選擇了訴諸武力，美洲接受了挑戰。

據報導，已故的佩勒姆先生（他雖是個能幹的首相，卻也有很多過失）在眾議院受人攻擊，說他的措施只是權宜之計。他回應道：「他們在我任期內一直起作用。」在當前這場鬥爭中，如果這種致命而又軟弱的思想在殖民地佔據了統治地位，那麼我們這些先人將會被後代唾　。

陽光下從未有過如此偉大的事業，這不只是一個城市、一個縣、一個省、一個國家的事情，而是一個美洲——至少佔地球面積八分之一的事情。它不僅關係到一天、一年或一個時代，子孫後代實際上也捲入了這場戰爭，直到最後或多或少都受到當前行動的影響，現在是把團結、信心和榮譽等播種到美洲大陸的時候。一點點的裂縫也會像用針尖刻在小橡樹上的名字一樣，隨著橡樹長大而變大，後者看到的將是變大了的字元。

事情由爭論轉為訴諸武力，標誌著一個政治新紀元的到來——一種新的思考方式誕生了。4 月 19 日以前，即敵對行為開始以前的計劃、議案就像去年的檯曆，當時雖然實用，但現在已被取代，沒有一點用處了。不管問題雙方的宣導者當時提倡的是什麼，最後都歸結於同樣一個問題上，即與大不列顛合併的問題。雙方之間唯一不同的是實行合併的方法；一方建議訴諸武力，另一方建議友好協商。但已經發生的事實表明前者已失敗，後者撤回了其影響。

和解的好處說的太多了。它就像一場美夢破滅了，我們還是我們。我們現在唯一正確的做法，應該是研究問題的反面，調查附屬和依賴大不列顛給殖民地帶來的實際傷害和以後將持續造成的傷害。按照自然和常識的法則來研究這種附屬和依賴，看看我們獨立以後有什麼好依靠的，不獨立有什麼好期待。

我聽某些人說，因為以前基於大不列顛的附屬關係使美國繁榮了，而同樣的依附關係對她將來的幸福是必要的，也將產生與以前相同的效果。沒有什麼比這個論調更荒謬絕頂的了。如果這樣的話，我們也可以說，因為小孩是吃奶長大的，它就永遠不可以吃肉了，或者我們 20 年是怎麼過的，後 20 年還應該繼續這樣過。而且僅僅這樣說還不夠真實，我要大聲回答，沒有歐洲國家的管制，美國同樣會繁榮，可能還會更加繁榮。使她致富的商業是生活必需品，只要「吃」仍舊是歐洲人的習慣，這些商品就會有市場。

有人說，但她保護過我們。她統治我們是事實，但她也花自己的錢和我們的錢保衛過這個大陸、她和她的統治。處於同樣的動機，即貿易和統治的緣由，她也會去保護土耳其。

唉！我們長期盲目跟從古老的偏見，在迷信上面做出了巨大的犧牲。我們誇耀大不列顛對我們的保護，卻沒有想到她的動機是利益而不是依戀，不是替我們考慮來保護我們免受我們敵人的傷害，而是為了她自己才保護我們不要受到她的敵人的傷害；這些敵人從來不會因為其它原因和我們發生爭執，因為英國保護不了我們，他們將一直是我們的敵人。讓英國放棄她在北美大陸的權利，或者北美大陸獨立起來；我們應該與法國和西班牙和平相處——只要他們與英國交戰。漢諾威最後一戰的慘狀告訴我們，不要依附別國。

但也有人說英國是母國，那她的所作所為就更可恥了。虎毒不食子，連野人也不會和家人打仗。因此，如果這種說法是真的，那也是對他的譴責。但碰巧不是真的，或只能說部分是真的，母國這個單詞已經被國王和她的寄生蟲們狡猾地利用了，利用我們大腦易輕信的弱點，卑鄙的新教徒想製造一種不公正的偏見。不是英國，歐洲才是美國的母國。這個新世界一直是一個避難所。歐洲各國那些遭到迫害但又熱愛公民自由和宗教自由的人們奔向此地。他們不是逃避母親深情地擁抱，而是遠離魔鬼的殘酷；迄今為止，英國移民都是這樣的。當初暴政逼得第一批移民背井離鄉，可她還不肯放過這些移民的後代。

（節選自〔美〕潘恩《常識》，中國對外翻譯出版公司 2010 年版）

編選說明 ●●●

1776 年由潘恩撰寫的《常識》，徹底摧毀了殖民地人民心中殘存的對英王和英國的最後一根感情紐帶。該書提高了人民的覺悟，把北美人民日益高漲的革命熱情推向了高潮，推動他們轉向獨立，並使獨立逐漸成為普遍的呼聲。最重要的是，潘恩主張立即宣佈獨立。潘恩所宣導的精神在美國《獨立宣言》中得到了體現，促進了人民追求獨立、自由、民主運動的蓬勃發展。

傑弗遜

人人生而平等

在有關人類事務的發展過程中，當一個民族必須解除其和另一個民族之間的政治聯繫，並在世界各國之間依照自然法則和上帝的意旨，接受獨立和平等的地位時，出於人類輿論的尊重，必須把他們不得不獨立的原因予以宣佈。

我們認為下面這些真理是不言而喻的：人人生而平等，造物者賦予他們若干不可剝奪的權利，其中包括生命權、自由權和追求幸福的權利。為了保障這些權利，人類才在他們之間建立政府，而政府之正當權力，是經被治理者的同意而產生的。當任何形式的政府對這些目標具破壞作用時，人民便有權力改變或廢除它，以建立一個新的政府；其賴以奠基的原則，其組織權力的方式，務使人民認為唯有這樣才最可能獲得他們的安全和幸福。為了慎重起見，成立多年的政府，是不應當由於輕微和短暫的原因而予以變更的。過去的一切經驗也都說明，任何苦難，只要是尚能忍受，人類都寧願容忍，而無意為了本身的權益便廢除他們久已習慣了的政府。但是，當追逐同一目標的一連串濫用職權和強取豪奪發生，證明政府企圖把人民置於專制統治之下時，那麼人民就有權利，也有義務推翻這個政府，並為他們未來的安全建立新的保障——這就是這些殖民地過去逆來順受的情況，也是它們現在不得不改變以前政府制度的原因。當今大不列顛國王的歷史，是接連不斷的傷天害理和強取豪奪的歷史，這些暴行的唯一目標，就是想在這些州建立專制的暴政。為了證明所言屬實，現把下列事實向公正的世界宣佈——

他拒絕批准對公眾利益最有益、最必要的法律。

他禁止他的總督們批准迫切而極為必要的法律，要不就把這些法律擱置起來暫不生效，等待他的同意；而一旦這些法律被擱置起來，他對它們就完全置之不理。

他拒絕批准便利廣大地區人民的其它法律，除非那些人民情願放棄自己在立法機關中的代表權；但這種權利對他們有無法估量的價值，而且只有暴君才畏懼這種權利。

他把各州立法團體召集到異乎尋常的、極為不便的、遠離它們檔案庫的地方去開會，唯一的目的是使他們疲於奔命，不得不順從他的意旨。

他一再解散各州的議會，因為它們以無畏的堅毅態度反對他侵犯人民的權利。

他在解散各州議會之後，又長期拒絕另選新議會；但立法權是無法取消的，因此這項權力仍由一般人民來行使。其實各州仍然處於危險的境地，既有外來侵略之患，又有發生內亂之憂。

他竭力抑制我們各州增加人口；為此目的，他阻撓外國人入籍法的通過，拒絕批准其它鼓勵外國人移居各州的法律，並提高分配新土地的條件。

他拒絕批准建立司法權力的法律，藉以阻撓司法工作的推行。

他把法官的任期、薪金數額和支付，完全置於他個人意志的支配之下。

他建立新官署，派遣大批官員，騷擾我們人民，並耗盡人民必要的生活物質。

他在和平時期，未經我們的立法機關仝意，就在我們中間維持常備軍。

他力圖使軍隊獨立於民政之外，並凌駕於民政之上。

他同某些人勾結起來把我們置於一種不適合我們的體制且不為我們的法律所承認的管轄之下；他還批准那些人炮製的各種偽法案來達到以下目的：

在我們中間駐紮大批武裝部隊；

用假審訊來包庇他們，使他們殺害我們各州居民而仍然逍遙法外；

切斷我們同世界各地的貿易；

未經我們同意便向我們強行徵稅；

在許多案件中剝奪我們享有陪審制的權益；

羅織罪名押送我們到海外去受審；

在一個鄰省廢除英國的自由法制，在那裏建立專制政府，並擴大該省的疆界，企圖把該省變成既是一個樣板又是一個得心應手的工具，以便進而向這裏的各殖民地推行同樣的極權統治；

取消我們的憲章，廢除我們最寶貴的法律，並且根本上改變我們各州政府的形式；

中止我們自己的立法機關行使權力，宣稱他們自己有權就一切事宜為我們制定法律；

他宣佈我們已不屬他保護之列，並對我們作戰，從而放棄了在這裏的政務；

他在我們的海域大肆掠奪，蹂躪我們沿海地區，焚燒我們的城鎮，殘害我們人民的生命；

他此時正在運送大批外國傭兵來完成屠殺、破壞和肆虐的勾當，這種勾當早就開始，其殘酷卑劣甚至在最野蠻的時代都難以找到先例。他完全不配作為一個文明國家的元首。

他在公海上俘虜我們的同胞，強迫他們拿起武器來反對自己的國家，成為殘殺自己親人和朋友的劊子手，或是死於自己的親人和朋友的手下。

他在我們中間煽動內亂，並且竭力調唆那些殘酷無情、沒有開化的印第安人來殺掠我們邊疆的居民；而眾所週知，印第安人的作戰規律是不分男女老幼，一律格殺勿論的。

在這些壓迫的每一陷階段中，我們都是用最謙卑的言辭請求改善；但屢次請求所得到的答覆是屢次遭受損害。一個君主，當他的品格已打上了暴君行為的烙印時，是不配作自由人民的統治者的。

我們不是沒有顧念我們英國的弟兄。我們時常提醒他們，他們的立法機關企圖把無理的管轄權橫加到我們的頭上。我們也曾把我們移民來這裏和在這裏定居的情形告訴他們。我們曾經向他們天生的正義善感和雅量呼籲，我們懇求他們念在同種同宗的分上，棄絕這些掠奪行為，以免影響彼此的關係和往來。但是他們對於這種正義和血緣的呼聲，也同樣充耳不聞。因此，我們實在不得不宣佈和他們脫離，並且以對待世界上其它民族一樣的態度對待他們：和我們作戰，就是敵人；和我們和好，就是朋友。

因此，我們，在大陸會議下集會的美利堅聯盟代表，以各殖民地善良人民的名義，並經他們授權，向全世界最崇高的正義呼籲，說明我們的嚴正意向，同時鄭重宣佈；這些聯合一致的殖民地從此是自由和獨立的國家，並且按其權利也必須是自由和獨立的國家，它們取消一切對英國王室效忠的義務，它們和大不列顛國家之間的一切政治關係從此全部斷絕，而且必須斷絕；作為自由獨立的國家，它們完全有權宣戰、締和、結盟、通商和採取獨立國家有權採取的一切行動。

為了支持這篇宣言，我們堅決信賴上帝的庇祐，以我們的生命、我們的財產和我們神聖的名譽，彼此宣誓。

（節選自〔美〕傑弗遜《獨立宣言》，朱生豪譯《哈姆萊特・世界人權宣言・獨立宣言》，江蘇人民出版社 2010 年版）

編選說明 •••

由湯瑪斯·傑弗遜起草的《獨立宣言》，為當時北美洲的 13 個英國殖民地簽署，於 1776 年通過，公開宣佈他們是一個獨立的國家，不再聽命於英國。《獨立宣言》極大地動員了一切革命力量，大大鼓舞了北美人民的鬥志。它提倡資產階級的自由、平等和主權在民思想，否定了封建等級制和專制統治，否定了英國對殖民地統治的合法性，它所體現的革命精神，對獨立戰爭進程具有巨大的鼓舞和指導作用，標誌著北美獨立戰爭進入一個新的階段，即把反抗英國殖民統治的武裝鬥爭同爭取民族獨立的偉大的正義事業聯繫起來。

柏克

每個政治家都應獻身於寬仁

由共和國的所有偉大成員中的這些大眾領袖們表現出來的無能的後果，都被自由的「全面補償的名義」所掩蓋了。在某些人民中，我確實看到了偉大的自由。但在許多——如果不是在大多數——人民中，我卻看到一種受壓迫的卑賤的奴役狀態。可是既沒有智慧又沒有美德，自由又是什麼呢？它就是一切可能的罪惡中最大的罪惡了。因為它是缺乏教養和節制的愚蠢、邪惡和瘋狂。凡是懂得有德行的自由是什麼樣的人，都不能容忍它被無能的頭腦憑著嘴裏大唱讚歌而受盡侮辱。對於自由的偉大而逐漸增強的情感，我確信我並不鄙視。它們溫暖人心，它們使我們的心靈宏大開闊，它們在我們鬥爭的時候激發我們的勇氣。像我現在這樣老，我依然欣悅地閱讀盧卡和高乃依的美妙銷魂的著作。我也並不完全譴責大眾性的小藝術和小玩意。它們促進了許多重要觀點的流傳，它們保持人民的一致，它們滋潤著心靈的努力，而且它們在道德自由的嚴峻額頭不時散佈了歡愉。每個政治家都應獻身於寬仁，並且將順從與理性結合起來。但是像在法國發生的這樣一場事件中，所有這些輔助性的靈感和技巧全都歸於無用。要建立一個政府並不需要有什麼很多的審慎，安排好權力的座位，教導人民服從，工作便完成了。給人以自由則更加容易，這無需指導，只要放開韁繩就可以了。但是，要形成一個自由的政府，也就是要把自由和限制這兩種相反的因素調和到一個融貫的作品中去，則需要有深思熟慮和一顆睿智、堅強而相容並包的心靈。這一點我在那些在國民議會中擔任領導的人的身上並沒有發現。或許他們並不像他們所表現得那樣可憐地有著缺陷，我寧願相信是這樣的。那就把他們置於人類理解力的通常水準之下。但是當領袖人物決心使自己成為群眾性拍賣場上的投標者時，他們建設國家的才智便毫無用途了。他們就變成為諂媚者而不是立法者了，變成為人民的工具而不是人民的指導者了。如果他們當中有什麼人恰好提出了一種要以恰當的標準嚴格加以限制和界定的有關自由的規劃的話，那麼他會被那些能炮製出更加漂亮動人的貨色的競爭者們馬上給壓倒的。他們對事業的忠誠會受到懷疑，溫和被污蔑為是懦夫的德行，而妥協則是變節者的審慎。直至為了保持他能在某些場合起到調和與緩解作用的信用，群眾領袖才不得不主動鼓吹某些學說、確立某些權力——而這些在以後卻會挫敗他最終所要達到的任何嚴肅的目標。

但是，我是如此之不理智，以至於在這個國民議會的不知疲倦的辛勞中居然一點也看不到任何值得讚揚的東西嗎？我不否認在無數的暴力和愚蠢的行動中，也可能做出過一些好事。他們摧毀了一切，肯定也消除了一些積弊。那些創新一切事物的人，也有機會可以建樹一些有益的東西。但要對他們利用他們所竊取的權威而做的事情給予信任，或者對他們賴於獲得權威的那些罪行加以原諒的話，那就必須是不製造這樣的一場革命，同樣的事情就無法完成。它們極其肯定的是可以完成的，因為幾乎他們所指定的每一項並不十分含糊的法令，都或者是包含在三級會議自願規定的國王的讓權中，或者是包含在對各等級的一致同意的指示中。一些陳規以正當的理由被廢除了；但是它們卻是這樣一些規矩：如果像他們過去那樣永久地存在的話，它們也不會減損國家的任何幸福和繁榮。國民議會的改進乃是表面上的，他們的錯誤則是根本性的。

無論他們是什麼，我希望我的國人不如向我們的鄰居推薦英國憲法的樣板，而不是為了我們自己的改進而從他們那裏拿過來模型。從前者之中，我們得到了一種無價之寶。我認為，他們並不是沒有某些憂懼和抱怨的理由的。但是這些他們不應歸咎於他們的憲法，而應歸咎於他們自己的行為。我以為我們的幸福境遇要歸功於我們的憲法，但要歸功於它的全體而不是任何單獨一部分，在很大程度上要歸功於那些在我們的若干次的修正和改革中所保存下來的東西以及那些我們加以改變或增添的東西。我們的人民在捍衛自己的所有免遭暴力侵犯時，會充分運用一種真正愛國的、自由的和獨立的精神。我也並不排斥變動，但即使當我改變的話，那也是為了有所保存。我應該是被巨大的苦難引向我的救贖之道。在我的所作所為中，我應該追隨我們祖先的先例。我會盡可能地在原建築物的風格之內進行修補。在我們祖先最關緊要的行動中，政治上的審慎、顧慮、周詳、道義上而非表面上的小心乃是其中主導性的原則。沒有被那些法國的先生們告訴我們他們已經如此豐富地享有的那種光明所照亮，他們就在人類的無知和易於犯錯誤的強烈影響之下而行動。那位元使得他們如此之易於犯錯誤的上帝，會為他們按他們的本性行事而報償他們的。如果我們希望能配得上他們的財富，或者保存他們的遺產，就讓我們仿傚他們的謹慎吧。如果我們樂意，讓我們也有所增多，但是讓我們保存他們遺留下來的東西吧！並且，立足於英國憲法的堅實基礎之上，讓我們滿足於讚美而不要試圖在他們不可救藥的飛翔之中去追隨那些法國的飛艇旅行家吧。

（節選自〔法〕柏克《法國革命論》，商務印書館 1998 年版）

編選說明 •••

1790 年，柏克出版《法國革命論》，猛烈地攻擊了法國大革命的原則。該書系統地闡述了法國大革命產生的種種暴行，深入分析了法國大革命走向暴力的根源和現實條件，明確地提出了：現實世界有它的種種問題，而且不可避免地有它的種種弊病，但現實世界必定總是好與壞、善與惡相互摻雜並交織在一起的。如果人們一味追求純之又純的完美，其結果反而只能成為導入歧途的欺人之談並且產生專制和腐化。此觀點使其成為保守主義的鼻祖。

托克維爾

論美國的政黨與民主制度

首先，我要對政黨進行一次大分類。

有些幅員遼闊和居民雜處的國家，儘管把人民都聯合在同一主權之下，但它們的人民仍有相互對立的利益，所以人民之間永久處於對立的狀態。因此，同一國家中的不同派別，便形成不了符合政黨定義的真正政黨，但能形成不同的國家。

假如爆發一場內戰，與其說這是不同派系之間的搏鬥，不如說這是敵對國家之間的衝突。

但當公民們在一些與全國有關的問題上，比如說在政府的總的施政原則上意見分歧時，就會產生我所說的真正政黨。

政黨是自由政府的固有災禍，它們在任何時候都沒有同樣的性質和同樣的本性。

有時，當國家感到災難深重無法忍受時，就會出現全面改革其政治結構的思想。還有些時候，災難更加深重，以致社會情況本身都要受到連累。這正是發生大革命和出現大政黨的時代。

在這些混亂和悲慘的時代之間，是社會暫時休息和人類好像得到喘息機會的時代。其實，這只是表面的平靜；對於國家和人來說，時間都是不會停止前進的；國家和人每天都在向著未知的將來前進；我們所以覺得國家和人停止前進，是因為國家和人的運動未被我們察覺。這就像走著的人，在跑著的人看來，彷彿是沒有動彈似的。

儘管時間在前進，但國家的政治結構和社會情況方面發生的變化，有時慢得難於察覺，以致人們認為自己已經處於最佳狀態。這時，人類的理性也自以為有了一定的牢固基礎，不再把目光投向已定的視野之外。

這是有利於政治陰謀和小黨活動的時代。

被我稱為大黨的政黨，是那些注意原則勝於注意後果，重視一般甚於重視個別，相信思想高於相信人的政黨。一般說來，同其它政黨相比，它們的行為比較高尚，激情比較莊肅，信念比較現實，舉止比較爽快和勇敢。在政治激情中經常發生巨大作用的私人利益，在這裏被十分巧妙地掩蓋於公共利益的面紗之下，有時甚至能瞞過被它們激起而行動的人們的眼睛。

小黨與此相反，它們一般沒有政治信念。由於它們自己覺得並不高尚，沒有崇高的目標，所以它們的性格打上了赤裸裸地暴露於它們的每一行動上的自私自利的烙印。它們總是裝出熱情洋溢的樣子，它們的言詞激烈，但其行動優柔寡斷。它們採用的手段，同它們所抱的目的一樣，都是卑不足道的。因此，在繼一場暴力革命之後而出現平靜時期時，偉大的人物便好像頓時消形匿跡，而智慧也自行隱藏起來了。

大黨在激蕩社會，小黨在騷擾社會；前者使社會分裂，後者使社會敗壞；前者有時因打亂社會秩序而拯救了社會，後者總是使社會紊亂而對社會毫無補益。

美國有過幾個大黨，但今已不復存在。由此得到很大好處的是美國的國祚，而不是它的道德。

當獨立戰爭結束，新政府即將奠基的時候，全國被兩種意見分為兩個陣營。這兩種意見與世界同樣古老，但在不同的社會以不同的形式出現，並被冠以不同的名稱。一種意見主張限制人民的權力，另一種力量希望無限擴大人民的權力。

兩種意見之間的鬥爭，在美國人那裏從來不帶常見於其它國家的那種暴力性。在美國，兩派在一些重大問題上都是意見一致的，誰也不必為了獲勝而去破壞舊的秩序和打亂整個社會體制。因此，任何一派都沒有把大多數人民的個人存在與本派原則的勝利聯繫起來。但是，兩派都十分關心諸如對平等和獨立的熱愛這樣的大事。只是這一點，便足以掀起狂熱的激情。

主張限制人民權力的一派，特別想把自己的學說應用於聯邦憲法，因而得名為聯邦黨。

以唯我獨愛自由自居的另一派，掛上了共和黨的名號。

美國是民主的國度，所以聯邦黨人始終居於少數的地位，但是獨立戰爭造就出來的偉大人物，差不多都屬於他們的隊伍，而且他們的道義力量也影響廣泛，何況環境還有利於他們。第一次聯合的瓦解，使人們心有餘悸，害怕陷入無政府狀態。聯邦黨人從人們的這種觀望傾向中獲得了好處。有 10 年或 12 年之久，他們主持了國家的工作，並得以應用他們的原則。但是，並不是全部原則都得到了應用，而只是應用了其中的某些部分，因為敵對思潮日益強大，使他們終於無力反對。

1801 年，共和黨終於執政。湯瑪斯·傑弗遜當選為總統，他以自己的巨大名聲、卓越才能和極好人緣獲得了人們的支持。

聯邦黨人只是依靠一些並不可靠的辦法，在隨意決定的對策的幫助下，才得以維持他們的地位的。他們之所以能夠執政，是憑藉他們領袖的德行和才能，以及環境對他們有利。

在共和黨取代他們的地位後，他們便作為反對黨而一敗塗地。

佔有絕對優勢的多數宣佈反對他們，他們立即感到自己已經成為微不足道的少數，以致悲觀失望起來。從此以後，共和黨或民主黨便接連從一個勝利走向另一個勝利，最後控制了全國。

聯邦黨人感到自己已被征服，一籌莫展，在國內陷於孤立，於是分裂為兩部分：一部分參加了勝利者的隊伍，另一部分放下原來的旗幟，改換了名稱。他們完全不再成為政黨，已經有許多年了。

在我看來，聯邦黨的執政，是伴隨偉大的美國聯邦的成立而出現的最幸運的偶然事件之一。他們抗拒了他們時代和他們國家的一些難以抵制的偏好。拋開他們的理論是好是壞不談，他們的理論總的說來有一個缺欠，那就是它不適用於他們想要去治理的社會，所以這個社會遲早要由傑弗遜去治理。但是，聯邦黨政府至少給了新共和國以自我穩定的時間，而後又大方地支持了它所反對的學說的迅速發展。而且它的大多數原則最後又被對手所採納，成為對手的政治信條。現今仍在實施的美國聯邦憲法，就是他們的愛國心和智慧的不朽業績。

因此，今天在美國已經看不到大政黨了。仍然存在許多威脅著美國的未來的黨派，但沒有一個黨派表示反對政府的目前形式和社會發展的總方向。威脅美國的未來的黨派所依據的不是它們的原則，而是它們的物質利益。在如此遼闊的國家裏，這種利益與其說能在利益互不相同的地區形成政黨，不如說能在這樣的地區形成敵對的國家。舉例來說，最近北方主張採取貿易禁運政策，而南方則拿起武器去保護貿易自由。這個衝突的起因，只是由於北方是工業區，南方是農業區；而禁運政策對一方有利，對另一方有害。

（節選自〔法〕托克維爾《論美國的民主》，商務印書館 1988 年版）

編選說明 ●●●

《論美國的民主》這本書是世界學術界第一部從美國社會、政治制度和民情等方面論述民主制度的專著。這部書分為上卷和下卷，上卷系統地闡述了美國的地理環境、種族狀況、美國聯邦制的特點、聯邦政府與各州政府的關係、政黨與社團的作用、輿論的作用等，深刻分析了美國的民主、自由、平等是如何在政治生活和社會生活中體現的，明確提出了美國民主的發展方向。下卷是以美國的民主思想和美國的民情為背景，分析了美國人的哲學觀念、宗教思想、科學理論、文學、藝術、社會心理、民族性格等等方面，提出了民主制度生成的必要條件，論證了民主與平等是歷史發展的必然趨勢，對後世影響極大。

密爾

政府不是做成的，而是長成的

一切有關政府形式的理論，都帶有有關政治制度的兩種互相衝突學說或多或少互相排斥的特徵，或者，更確切地說，帶有關於什麼是政治制度的互相衝突的概念的特徵。

在有些人看來，政府嚴格地說是一種實際的藝術，除手段和目的問題外不發生其它問題。政府的形式和達到人類目的的其它手段一樣，它被完全看作是一種發明創造的事情。

既然是由人完成的，當然人就有權選擇是否製作，以及怎樣製作或按照什麼模式去製作。

按照這種看法，政府是一個問題，應和任何其它事務問題一樣加以處理。第一步是明確政府所須促進的目的。第二步，是研究什麼樣的政府形式最適於實現這些目的。在做到了這兩點並確定了將最大好處和最小害處結合起來的政府形式之後，剩下的就是爭取國人或所由設立該制度的人們同意我們私下得出的意見。發現最好的政府形式，勸說別人相信它是最好的，然後鼓動他們堅持要這種制度，就是採取這種政治哲學觀點的人們心中的一系列想法。

他們就像看待一部汽車或一部打穀機那樣（可能程度上有所不同）來看待一個政體的。

和這些人相反，另一種政治理論家則遠遠不是把政府形式等同機器，而是把它看成一種自然產物，把政治科學看成（好比說）自然史的一個分支。照他們看來，政府的形式不是一個選擇問題。大體上我們必須按照它們的現實情況加以接受。政府不能靠預先的設計來建立。它們「不是做成的，而是長成的」。

我們對於它們，就和對於宇宙中的其它事實一樣，所能做的就是熟悉它們的自然特性並使我們自己適應它們。

在這學派看來，一國人民的根本的政治制度是從該國人民的特性和生活成長起來的一種有機的產物，是他們的習慣、本能和無意識的需要和願望的產物，而決不是故意的目的的產物。除了用權宜的設計應付一時的需要以外，他們的意志在這問題上不起作用。這種設計如果充分符合民族的感情和性格，通常是持久的，經過連續不斷的凝聚，就構成適合該國人民的政體，但是一國人民的特性和情況未自發地產生這種設計，要企圖將它強加於他們則是徒然的。

假如我們可以假定這兩種學說是互相排斥的學說，要決定兩者中哪一種是最不合理的就是困難的。但是人們在任何爭論問題上所表白的原則通常是他們真正持有的意見的極不完全的代表。

沒有人會以為每一國人民能夠實行每一種制度。

不管我們願意怎樣運用機械裝置的類比，人們連選擇一個木和鐵製的工具也不會僅僅因為它本身是最好的。他考慮到他是否具有為使這種工具的使用變得有利而必須同時具備的其它條件，特別是使用該工具的人是否具有管理工具所必要的知識和技能。另一方面，把制度說成好像是活的有機體的人們，也並不真正是他們自稱的政治宿命論者。他們並不妄稱人類對於他們將生活在它下面的政府絕無選擇的餘地，或者妄稱對由不同政體形式產生的後果的考慮全然不是決定選擇哪種形式的一個因素。然而儘管每一方為了反對另一方都大大誇大了自己的學說，而且沒有人抱有不對兩種學說都作些修正的意見，但是這兩種學說是符合兩種思想方法之間根深蒂固的分歧的。

儘管兩者中任何一個顯然都不是完全正確，但兩者中任何一個顯然也不是完全錯誤，我們必須努力認真考慮兩者的根本立足點，並利用兩者中含有的全部真理。

我們首先要記住，政治制度（不管這個命題是怎樣有時被忽視）是人的勞作；它們的根源和全部存在均有賴於人的意志。人們並不曾在一個夏天的清晨醒來發現它們已經長成了。它們也不像樹木那樣，一旦種下去就「永遠成長」，而人們卻「在睡大覺」。在它們存在的每一階段，它們的存在都是人的意志力作用的結果。所以，它們像一切由人做成的東西那樣，或者做得好，或者做得不好。

在它們的製作過程中，可能運用了判斷和技能，也可能情況相反。又，如果一國人民出於疏忽而未能，或者由於外來壓力而無權，通過試驗性方法——即當邪惡發生時，或當受害者有力量反抗時，對每一種邪惡進行矯正的方法——為他們自己發展出一種政體，這種政治進步方面的阻滯對他們說來無疑是巨大的不利，但不能因此證明對別國人民是好的東西對他們就不會也是好的，以及當他們認為適於採用時仍然不是好的。

另一方面，還須記住政治機器並不自行運轉。正如它最初是由人類製造的，同樣還須由人，甚至由普通的人去操作。它需要的不是人們單純的默從，而是人們積極的參加；並須使之適應現有人們的能力和特點。這包含著三個條件。為人民而設的政府形式必須為人民所樂意接受，或至少不是不樂意到對其建立設置不可逾越的障礙；他們必須願意並能夠作為使它持續下去所必要的事情；以及他們必須願意並能夠作為使它能實現其目的而需要他們做的事情。

（節選自〔英〕密爾《代議制政府》，商務印書館 1982 年版）

編選說明 ●●●

密爾的名著《代議制政府》發表於 1861 年，是關於國家理論的一部重要著作，系統論述了代議制理論，主要包括代議制政府的形式、職能、民主制、選舉權、議會以及地方代表機關和民族等問題，並且把代議制理論與實踐有機結合起來考察，深刻分析了西方代議制政府的優缺點及其改良方向，對於我們研究資產階級民主制度具有重要的參考價值，是西方學者公認為有關議會民主制的一部經典著作，對英國以及歐美各國的政治制度有較大影響。

古德諾

政治是國家意志的表達，行政是國家意志的執行

政治的功能在於對國家意志的表達。但是，這種功能的行駛可能不止委託給政府中的某一個或某一套機構。另一方面，任何一個機構或一套機構也可能不止限於行使這一種功能。因此，分權原則的極端形式不能作為任何具體政治組織的基礎。因為這一原則要求存在分立的政府機構，每個機構只限於行駛一種被分開了的政府功能。然而，實際政治的需要卻要求國家意志的表達與執行之間協調一致。

法律與執行法律之間缺乏協調就會導致政治的癱瘓。一種行為準則，即一種國家意志的表達，如果得不到執行，實際上就什麼也不是，只是一紙空文。另一方面，執行一種並非國家意志所表達的行為準則，倒真是執行機構在行駛表達國家意志的權利。

為了在國家意志的表達與執行之間求得這種協調，就必須或者犧牲掉國家意志的表達機構的獨立性，或者犧牲掉國家意志執行機構的獨立性。要麼執行機構必須服從表達機構，要麼表達機構必須經常受執行機構的控制。只有這樣，在政府中才能存在協調。只有這樣，真正的國家意志的表達才能成為被普遍遵守的實際的行為規範。

最後，民治的政府要求執行機構必須服從表達機構，因為後者理

所當然地比執行機構更能代替人民。

換句話說，實際政治的需要，使政治功能與行政功能分離的想法不可能實現。如果從迄今人們認為的廣義上去使用政治或行政這兩個詞的話，政治必須對行政有一定的控制。在我們考察任何國家的發展時，都可以發現政府的這兩種功能之間存在著某種這樣的關係。

如果為了防止政治在具體細節問題上影響行政，而試圖在政府中把分別主要承擔這兩種功能的機構在法律上分開，政治對行政的必要控制就要在法律之外進行。這就是美國政治體制中的情況。

美國政治體制在很大程度上是建立在政府權力分立的基礎上的。由於按憲法制定的法律授予了執行和行政官員獨立的地位，所以要在法定的正式政府體制中發揮政治對行政的必要控制就不可能了。因此，這種控制就在政黨體制中得到了發展。美國的政黨，正像他們熱衷於按照必須以表達國家意志為準則，選舉具有明顯的政治色彩的團體那樣去進行行政和執行官員的選舉。政黨體制由此保證了政治功能與行政功能之間的協調。而這種協調是政府成功地開展工作所必需的。

另一方面，如果在政府體制中沒有試圖規定政治與行政的劃分，如果政府制度沒有靠採用一部成文憲法而具有比較堅實而固定的形式，對行政功能的控制與監督，就會由行使政治功能的政府機構所承擔。

因此，在英國，人民通過對議會的控制達到了他們對國家意志表達的控制後，他們就立刻著手使議會——他們的代表，對被委以國家意志執行權的政府機構有一種控制權。他們成功地做到了這一點，結果就產生了現在的內閣對議會負責的體制。

因此，政治的功能首先與國家意志的表達有關，其次與國家意志的執行有關。

就政治與國家意志的表達有關而言，其所涉及的具體問題十分廣泛。例如，政治的功能關係到決定誰最根本地、誰其次地、誰代理地表達國家意志的問題。也就是說，他必須解決主權問題和政府問題。它必須在一個代議制政治體制中規定誰是選民，他們應該如何投票、向誰投票，以及政府體制中應該由什麼機構制定法律。

進一步說，考慮到這些問題所涉及的東西，要多於考慮法定的正式政府組織問題，它還牽涉到政黨組織問題。由於政黨的活動，選民的選擇範圍才局限於少數候選人，政治行為原則才得以確定。因為，為此目標而形成的組織與法定的正式的政府組織負擔同樣多的表達人民的意志的工作。一個民治的代議制的政府形式加上一個由少數寡頭或專制黨魁控制的政黨組織是不會造成一個真正民治的政治體制的，也就是說，它是不會允許民眾或國家的意志按照其本身的意願表達的。這就像在一個不那麼民治化的政府形式加上一個不那麼專制獨裁的政黨組織形式的情況下一樣。

因此，要明確地研究政治的功能問題，就必須考察政黨體制。因為在這裏，政黨體制已經變得非常重要，足以對政府體制施加影響。

（節選自〔美〕古德諾《政治與行政》，華夏出版社 1987 年版）

編選說明 ●●●

《政治與行政》是美國政治學家古德諾（1859-1935）著名的代表作。該書通過考察國家和政府的活動，深刻分析了這些活動的相互關聯和正當的地位，明確提出將國家行為分為「表達意志」和「形成意志」兩種，鮮明指出法律條文所表明的正式的政府體制，並不總與實際的政治體制相同，其補救措施是，以國家體制為榜樣，在更大的程度上實行行政集權，確保法律的落實執行，從而在理論上以兩權分立而不是三權分立對政府機構進行了整合，確立了新的權力分立、制衡原則。

馬克斯・韋伯

資本主義精神

本章的標題用得多少有點玄乎——資本主義精神。這究竟是什麼意思呢？要想給任何這一類的東西下一個定義，那就總會碰到某些困難，這些困難是這類考察本身的性質所決定的。

如若「資本主義精神」這一術語具有什麼可理解的意義的話，那麼這一術語所適用的任何對象都只能是一種歷史個體（historical individual），亦即是一種在歷史實在中聯結起來的諸要素的複合體，我們是按照這些要素的文化意蘊而把它們統一成為一個概念整體的。

然而，這樣一個歷史概念，正因為就其內容而言它指的是一種由於其獨一無二的個體性才具有意味的現象，所以它不能按照「屬加種差」的公式來定義，而必須逐步逐步地把那些從歷史實在中抽取出來的個別部分構成為整體，從而組成這個概念。這樣，這個概念的最後的完善形式就不能是在這種考察的開端，而必須是在考察之後。換句話說，我們必須在討論的過程中對我們這裏所謂的資本主義精神作出最完善的概念表述，並把這種概念表述作為這種討論的最重要結果，這對於我們所感興趣的觀點來說，是最適宜的做法。此外，我們下面將會講到的這種觀點，對於分析我們正在考察的這種歷史現象來說，決不是唯一可能的觀點。如果從其它的立場出發去考察這種歷史現象甚或任何其它歷史現象，也會獲得與這些基本特徵同樣重要的其它一些特徵。因此，根本沒有必要把資本主義精神理解成僅僅只是我們這裏所說的那種東西，因為我們這裏所說的僅僅是對我們分析的目的而言的。這是由各種歷史概念的本性所決定的，因為從歷史概念的方法論意義來說，這些概念並不是要以抽象的普遍公式來把握歷史實在，而是要以具體發生著的各組關係來把握，而這些關係必然地具有一種特別獨一無二的個體性特徵。

因此，如果我們想對我們現在試圖進行分析並作出歷史說明的對象加以規定的話，那麼這種規定就不能採取一種概念定義的形成，而是至少在一開始只能對這裏所說的資本主義精神作一暫時性的描述。然而，這樣一種描述對於清晰地瞭解我們所考察的對象來說卻是必不可少的。為此我們現在先來看一個關於資本主義精神的文獻，這文獻以近乎於典型的純粹性保存著我們正在尋找的那種精神，與此同時它又具有著擺脫了與宗教的任何直接關係的優點——這對我們的目的來說，也就是具有擺脫了各種先入之見的優點。

「切記，時間就是金錢。假如一個人憑自己的勞動一天能掙十先令，那麼，如果他這天外出或閒坐半天，即使這其間只花了六便士，也不能認為這就是他全部的耗費；他其實花掉了、或應說是白扔了另外五個先令。

「切記，信用就是金錢。如果有人把錢借給我，到期之後又不取回，那麼，他就是把利息給了我，或者說是把我在這段時間裏可用這筆錢獲得的利息給了我。假如一個人信用好，借貸得多並善於利用這些錢，那麼他就會由此得來相當數目的錢。

「切記，金錢具有孳生繁衍性。金錢可生金錢，孳生的金錢又可再生，如此生生不已。五先令經周轉變成六先令，再周轉變成七先令三便士，如此周轉下去變到一百英鎊。金錢越多，每次周轉再生的錢也就越多，這樣，收益也就增長得越來越快。誰若把一口下崽的母豬殺了，實際上就是毀了它一千代。誰若是糟蹋了一個五先令的硬幣，實際上就是毀了所有它本可生出的錢，很可能是幾十英鎊。

「切記下面的格言：善付錢者是別人錢袋的主人。誰若被公認是一貫準時付錢的人，他便可以在任何時候、任何場合聚集起他的朋友們所用不著的所有的錢。這一點時常大有稗益。除了勤奮和節儉，在與他人的往來中守時並奉行公正原則對年輕人立身處世最為有益；因此，借人的錢到該還的時候一小時也不要多留，否則一次失信，你的朋友的錢袋則會永遠向你關閉。

「影響信用的事，哪怕十分瑣屑也得注意。如果債權人清早五點或晚上八點聽到你的錘聲，這會使他半年之內感到安心；反之，假如他看見你在該幹活的時候玩檯球，或在酒館裏，他第二天就會派人前來討還債務，而且急於一次全部收清。

「行為謹慎還能表明你一直把欠人的東西記在心上；這樣會使你在眾人心目中成為一個認真可靠的人，這就又增加了你的信用。

「要當心，不要把你現在擁有的一切都視為己有，生活中要量入為出。很多有借貸信用的人都犯了這個錯誤。要想避免這個錯誤，就要在一段時間裏將你的支出與收入作詳細記載。如果你在開始時花些工夫作細緻的紀錄，便會有這樣的好處：你會發現不起眼的小筆支出是怎樣積成了一筆筆大數目，你因此也就能知道已經省下多少錢，以及將來可以省下多少錢，而又不會感到大的不便。

「假如你是個公認的節儉、誠實的人，你一年雖只有六英鎊的收入，卻可以使用一百英鎊。

「一個人若一天亂花四便士，一年就亂花了六個多英鎊。這，實際上是以不能使用一百英鎊為代價的。

「誰若每天虛擲了可值四便士的時間，實際上就是每天虛擲了使用一百英鎊的權益。

「誰若白白失了可值五先令的時間，實際上就是白白失掉五先令，這就如同故意將五先令扔進大海。

「誰若丟失了五先令，實際上丟失的便不只是這五先令，而是丟失了這五先令在周轉中會帶來的所有收益，這收益到一個年輕人老了的時候會積成一大筆錢。」

這些就是本傑明·佛蘭克林教導我們的話。斐迪南·古恩伯格在其《美國文化覽勝》一書中認為，這些話是美國佬的一份自白，因而予以尖刻的諷刺。毫無疑問，這些話所表現的正是典型的資本主義精神，但我們很難說資本主義精神已全部包含在這些話裏了，我們不妨停下來玩味一下佛蘭克林的這一席話。古恩伯格把美國佬的哲學概括為這麼兩句話：「從牛身上刮油，從人身上刮錢。」期在必得的宗旨之所以奇特，就在於它竟成為具有公認信譽的誠實人的理想，而且成為一種觀念：認為個人有增加自己的資本的責任，而增加資本本身就是目的。的確，佛蘭克林所宣揚的，不單是發跡的方法，他宣揚的是一種奇特的倫理。違犯其規範被認為是忘記責任，而不是愚蠢的表現。這就是它的實質。它不僅僅是從商的精明（精明是世間再普遍不過的事），它是一種精神氣質。這正是我們所感興趣的。

（節選自〔德〕馬克斯·韋伯《新教倫理與資本主義精神》，江西人民出版社2010年版）

編選說明 •••

韋伯的《新教倫理與資本主義精神》，從文化角度考察近代資本主義的興起，探討近代資本主義在歐洲而不是其它大陸發軔和發展的根源，論述宗教觀念（新教倫理）與隱藏在資本主義發展背後的某種心理驅力（資本主義精神）之間的生成關係，力圖從比較宗教學的角度去說明貌似合乎理性的資本主義的運作制度背後卻由一套極為不合理性的新教倫理所支撐，即近代資本主義合理經營的態度是由新教所驅使而形成的。這本書可以說是對現代理性資本主義精神進行詳細分析的偉大著述，也是研究政治學不可不讀的經典名著。

熊彼特

社會主義行得通是無可懷疑的

社會主義能行得通嗎？當然行得通。一旦我們假定：第一，必要的工業發展階段已經達到，第二，過渡問題能夠成功地解決，社會主義行得通是不可能懷疑的。當然，人們對這樣的假定本身或者對能否指望社會主義形式的社會是民主的，或者不論它是否民主，它行駛它的職能好到什麼程度，感到擔憂。所有這些問題隨後都要討論。但是，倘若我們接受這些假設，消除這些疑慮，那麼對其它問題的回答是乾脆的肯定。

在我試圖證明這一點以前，我願清除在我們面前的某些障礙。在此之前我們對某些定義很不注意，現在我們必須彌補這個缺點。我們將只展望兩種類型的社會，其它類型的社會只附帶提一下。這兩種類型我們稱之為商業社會和社會主義社會。

商業社會的定義決定於一個制度模式，關於這個模式我們只需提出兩個要素：生產手段的私人佔有和生產過程由私人契約（或私人管理或私人積極性）調節。但這種類型的社會一般不是純資產階級的社會。商業社會與資本主義社會也不是一回事。資本主義社會是商業社會中的一個特殊形式，資本主義社會有外加的創造信用的現象——由銀行信貸向企業提供資金，也就是銀行為此目的而創制的貨幣（鈔票和存款）的做法，形成現代經濟生活如此眾多矚目的特色。但是，由於商業社會（與社會主義非此即彼）實際上常常看來好像是資本主義的特殊形式，如果讀者願意保持資本主義與社會主義的傳統對照，也不會有多大出入。

社會主義社會這個概念我們指的是這樣一種制度模式，在這個模式中生產手段和生產本身的控制權都授予中央當局，或者我們可以說，在這個模式中，原則上社會的經濟事務屬於公共範圍而不是屬於私人範圍。社會主義一向被稱為知識分子的普洛丟斯。有許多給它下定義的方法——許多可以接受的方法，也就是說，除了如社會主義意指使所有人有麵包吃這種可笑的方法不計——我們的定義不一定是最好的。但關於我們這個定義，有幾點務須提一提，儘管有被指責賣弄學問的危險，但這樣對我們有好處。

我們的定義排除基兒特社會主義，工團主義和其它類型的社會主義。這是因為可以稱為中央集權社會主義的東西在我看來所包括的範圍如此清楚，因而再考慮其它形式成為浪費篇幅了。但是，如果我們採用了這個名詞是為了指明我們將要考慮的唯一一種社會主義，我們必須小心避免誤解。使用中央集權社會主義一詞，其用意只在於表明不存在控制單位的多元化，每一個單位原則上代表它自己的各自利益，尤其是不存在地區自治部門的多元化，這種多元化將很快重新產生資本主義社會的對抗。這樣的排除局部利益很可能被認為是不現實的。可這是本質性的。

但我們使用的名詞——社會主義，並不是意味指中央當局必然是專制獨裁的中央集權主義，這個當局我們不是叫它中央局就是叫它生產部；並不是意指企業高級人員的積極性完全來自中央當局的中央集權主義。關於這一點，中央局和生產部可能必須向國或議會提出它的計劃。也可能有一個監督和檢查的權利機關——一種審計機關可以想像它甚至有權否決特定決議。關於第二點，必須把某種行動自由，可以把幾乎相當大的自由留給「現場負責人」，即各行各業或工廠的經理們。目前我大膽假設，合理範圍的自由已從實驗中發現，並且實際上已經給予，這樣，單位下屬人員放肆的野心不會損害效率；堆積在部長辦公桌上的報告和未作批覆的問題也不致影響效率；同樣，部長發佈的令人想起馬克·吐溫關於收穫土豆規律的命令也不會影響效率。

我未曾為集體主義和共產主義單獨下過定義。前一個名詞我根本不會使用，後一個名詞只有在提到自稱為共產主義的集團時附帶涉及。然而，如果我不得不使用它們，我談到它們時它們是社會主義的同義詞。分析歷史上使用這兩個名詞的情況，大多數作者試圖給予它們與其它名詞不同的含義。的確，人們相當一致地選擇共產主義這個名詞來指比其它思想更為徹底和激進的思想。但社會主義經典著作之一德書名是「共產黨」宣言。原則上的分歧從來不是根本性的——社會主義陣營中存在的分歧並不比存在於社會主義陣營與共產主義陣營中間的分歧更小。布爾什維克稱他們自己為共產主義者，是真正唯一的社會主義者。不管他們是不是真正和唯一的社會主義者，他們肯定是社會主義者。

我避免使用自然資源，工廠和設備的國家所有或財產權這些名詞。這一點在社會科學方法論上有一定重要性。當然，像需要、選擇或經濟財貨這些概念對任何時代或社會都什麼區別。但另外一些名詞雖然在日常意義上對不同時代和不同社會有區別，但它們經分析者精鍊已經是失去這種區別。價格或成本二詞就是適當的例子。另外還有一些名詞，就其性質而言經不起移植，並且常常帶有特定制度結構的氣味，脫離它們所屬的社會或文化去使用它們是極端危險的，事實上這樣做等於歪曲歷史情況。現在，所有權或財產權——我相信還有稅收——是屬於商業社會世界的詞彙，正如騎士和采邑是屬於封建社會的詞彙。

（節選自〔美〕熊彼特《資本主義、社會主義與民主》，商務印書館 2001 年版）

編選說明 •••

熊彼特於 1942 年出版的《資本主義、社會主義與民主》，強調生產技術的革新和生產方法的變革，在資本主義經濟發展過程中的關鍵作用，以創新理論解釋資本主義的本質特徵，說明資本主義的發生、發展和趨於滅亡，必然為社會主義所替代的結局，形成了以創新理論為基礎的社會發展理論體系，在西方學術界得到廣泛的傳播和發展，其創新理論也日益得到世人的重視。

波普爾

促進政治文明必須破除偉人崇拜

人們普遍相信，對待政治學真正科學的或哲學的態度，和對一般意義上的社會生活更深刻的理解，必定建立在對歷史的沉思和闡釋的基礎之上。儘管一般人認為生活環境、親身經驗和小坎小坷的重要性是理所當然的，但據說社會科學家和哲學家卻必須從一個更高層面上眺望這些事情。在他們看來，個體的人是一個工具，是人類總體發展過程中一個微不足道的工具而已。他還發現，歷史舞臺上真正重要的演員要麼是偉大的國家或偉大的領袖，要麼就可能是偉大的階級或偉大的觀念。

無論如何，他想試圖理解歷史舞臺上演的這幕戲劇的意義；他想試圖理解歷史發展的法則。如果他在這方面獲得了成功，他當然就能預測未來的發展了。那樣，他就可以給政治學提供一個堅實的基礎，並給我們提供可行的忠告，告訴我們哪些政治活動可能成功，哪些政治活動可能失敗。

這是對一種我稱之為歷史主義的見解的簡要描述。這種見解是一個古老的觀念，或者更確切地說，是一系列鬆散地聯繫在一起的觀念，這些觀念不幸已完全成為我們精神氛圍的一部分，人們通常將它們視為理所當然，幾乎從未提出過質疑。在別的地方，我已試圖表明，歷史主義對社會科學的態度導致了惡劣後果。我還試圖概述一種我相信會產生更好結果的方法。

然而，如果歷史主義是一種造成毫無價值後果的錯誤方法，那麼，看一看它怎樣產生，它怎樣如此成功地確立自身的牢固地位，或許是有益的。同時，出於這個目的進行的歷史概述，也有助於分析在歷史主義中心學說周圍積纍起來的各種各樣的觀念——歷史主義中心學說，即歷史受控於明確的歷史或演化法則，這些法則將使我們能夠對人的命運進行預言。

就我以相當抽象的方式所作的描述而言，歷史主義可以通過其種種形式中最樸素和最古老的一種——選民說充分加以說明。這個學說通過一種有神論的解釋，即確認上帝為歷史舞臺上所上演的戲劇的作者，成為使歷史得以理解的種種嘗試之一。選民說更加明確地設定上帝挑選一個民族作為他意志選中的工具，這個民族將獲得塵世。

在這個學說中，歷史發展法則由上帝的意志制定。這是區別歷史主義的有神論形式同其它形式明確的相異之處。例如，自然主義的歷史主義也許將發展法則看成自然法則；唯靈論歷史主義會將其看成精神發展的法則；而經濟歷史主義又會將其看成經濟發展的法則。有神論歷史主義與其它這些形式的學說同樣主張存在種種歷史法則，這些法則能夠發現，在它們的基礎上能夠做出關於人類未來的預測。

無疑，選民說產生於部落形式的社會生活。強調部落至高無上的重要性，離開部落，個人就微不足道，這種部落主義是我們將會在許多種形式的歷史主義理論中發現的一個要素。不再是部落主義的其它形式的歷史主義或許仍然保留一種集體主義要素；它們或許仍然強調某些團體或集體——例如，一個階級——的重要性，離開這個團體或集團，個人便微不足道。選民說的另一個方面是它所提出作為歷史目的的東西遙不可及。因為儘管以相當程度的明確性描述了這個目的，但要達到它我們還必須得走上一段漫長的路程。而這段路程不僅漫長，並且還彎彎曲曲，忽上忽下，忽左忽右。因此，終究有可能把想得到的歷史事件妥善地放到解釋框架中。沒有想像得到的經驗能夠駁倒這個目標。而對那些相信這一點的人來說，它提供關乎人類歷史終極結局的確定性。

在本書最後一章，我將試圖對有神論歷史解釋展開批判，這一章還將指出某些最偉大的基督教思想指斥這種理論是偶像崇拜。因此，對這種形式歷史主義的攻擊不應被解釋為是對宗教的攻擊。在本章中，選民說僅僅作為一個例證而已。它在這方面的價值可以從這一事實中看到：它的種種主要特徵為兩種最現代形式的歷史主義（對它們的分析將構成本書的主要部分）所共有——一方面（右翼的）種族主義或法西斯主義的歷史哲學和另一方面（左翼的）馬克思主義歷史哲學。種族主義以選中的種族（戈比諾的選擇）取代選中的民族，作為命運的工具，最終獲得世界。馬克思的歷史哲學以選中的階級取代選中的民族，作為創造無階級社會的工具，同時，這個階級也注定獲得世界。這兩種理論都將其歷史預言建立在最終發現一種歷史發展法則的歷史解釋上。就種族主義而論，這種法則被看作一種自然法則；選中的民族在血緣上的生物學優越性對歷史進程——過去、現在和未來進行瞭解釋；它只能是種族間爭奪控制權的鬥爭。就馬克思的歷史哲學而論，這個法則是經濟法則；全部歷史被解釋為階級間爭奪經濟優勢的鬥爭。

這兩個運動的歷史主義特徵使我們的研究引人注目。在本書的下文中，我們將回頭再談這兩個運動，它們之中每一個都直接回溯到黑格爾哲學。因此，我們也必須論及那個哲學。而既然黑格爾基本上是沿襲某些古代哲學家的，因而，在返回這些歷史主義的更現代的形式之前，討論赫拉克利特、柏拉圖和亞里斯多德理論，將是很有必要的。

（節選自〔英〕波普爾《開放社會及其敵人》，中國社會科學出版社 2000 年版）

編選說明 ●●●

《開放社會及其敵人》1945 年出版，是舉世聞名的政治哲學家卡爾·波普爾的代表作。全書分為兩卷，上卷的標題是《柏拉圖的符咒》，下卷的題目是《預言的高潮：黑格爾、馬克思及其後果》。這是一部運用哲學史的材料來反對歷史主義的政治哲學著作，考察了歷史主義在西方的起源與發展，明確提出，如果人類的文明要持續下去，就必須破除迷信偉人的習慣。就其對極權主義抨擊而論，堪稱一本偉大的政治思想經典著作。

達爾

民主依賴妥協

正如人們經常所說的，民主依賴妥協。而且，民主理論本身也充滿妥協——若干衝突的、互不相容的原則之間的妥協。然而，在社會生活中屬於美德的東西，在社會理論中卻並不一定是一種美德。

我們將要稱之為「麥迪森式」（Madisonian）的民主理論是這樣一種努力，它旨在成功地在多數人的權力和少數人的權力之間，以及所有成年公民的政治平等和限制其主權的需要之間，達成某種妥協。作為一種政治體制，這種妥協被證明是持久的。進而言之，美國人似乎喜歡這種政治體制。然而，作為一種政治理論，這種妥協精巧地掩蓋了許多裂痕，但卻沒能彌合它們。關於多數人統治之長處和缺點的先入為見，一直貫穿著 1789 年以來的美國政治思想，這一點不是偶然的。如果說大多數美國人似乎已經接受了「麥迪森式」政治體制的合法性，那麼對其相當不確切的理論基礎的批判，卻從來沒有完全絕跡；結果，人們必定不斷地重述「麥迪森式」的論題，甚至一遍又一遍地詳加敘述，就像卡爾洪（Colhoun）那樣，不斷地加以誇大。

把追隨者的所有觀點都直接歸因於麥迪森本人是會誤導的。因為儘管麥迪森提出了這個理論的大部分基本要點，但是在立憲會議之前或之中，以及在後來的《聯邦黨人文集》中，他同追隨者立場的聯繫必須要以如下三個方式加以探討。

第一，儘管有各種各樣的反對派，但是麥迪森所提出或暗含的思想，為他那個時代的其它政治領袖們所普遍熟識。然而，麥迪森具有罕見的天賦，這種天賦在政治領袖那裏無疑是罕見的。他把他的理論陳述表達得相當明快，合乎邏輯，並且井井有條；也許，在美國人撰寫的其它政治著作中，沒有一部比麥迪森《聯邦黨人文集》（The Federalist,第 10 篇）提出了邏輯上更嚴密的、幾乎是數學式的理論。因此，回到麥迪森那裏去尋找美國政治體制的基本原則，既是為了方便，也是對麥迪森思想的獎勵。

第二，即使如此，麥迪森也不總是像闡明事實、定義或價值那樣來闡明他的假設。因此，我發現有必要隨時提出哪些對我來說是暗含的假設。這是一項冒險的工作，保守一點我只能說，在所有情況下，我努力使他的觀點盡可能地有條有理，前後一致，不受到傷害。簡言之，我所依賴的是麥迪森本人表述的最具有邏輯性、連貫性、清晰性的觀點，但是在所有其它的情況下，我試圖詳細闡明對我來說更具有邏輯性、連貫性、清晰性的觀點。這是我所採用的一種爭論風格，而不是麥迪森言論的完美再現。

第三，把麥迪森看成是一名政治理論家，有點不太妥當。他是為了他那個時代而寫作和演講的，而不是為了幾代人。他沉溺於政治之中，提出建議、進行說服工作、抹去尖銳的詞鋒、撇下種種困難，並且在爭論中，誇大尖銳的矛盾、論點、使用狡黠的策略。他是偉大的人，是睿智的、重要的和成功的人。他建立了偉業。把他的思想一條條分離開來加以考察，無疑有點不太妥當。麥迪森是一個人，是政治家，作為他的敬慕者，我不安心讓作為理論家的麥迪森不得安寧——

如果不是因為如下的事實，即麥迪森如此明顯地塑造了美國人關於民主的想法，他本身也為這種想法所塑造。

麥迪森理論的中心立場部分是隱含的，部分是明確的，這就是：

假設 1：如果不受到外部制約的限制，任何既定的個人或個人群體都將對他人施加暴政。

從這一立場出發，至少可以提出如下兩個隱含的定義：

定義 1：對任何個人的「外部制約」，包括獎勵和懲罰，或者對兩者的預期，來自其它人而不是既定的個人自己；

定義 2：「暴政」是對自然權利的嚴重剝奪。

關於這裏所使用「暴政」的定義，有必要做出三點解釋。

第一：他同麥迪森在《聯邦黨人文集》（第 47 篇）中對暴政的明確定義是不一樣的，在那裏，他說：「所有的權力（無論是立法的、行政的、還是司法的）聚集到同一些人手中，無論是某一個人、一小部分人還是許多人，都可以正當地被定義為暴政。」對我來說，麥迪森的明確定義似乎是派生於定義 2，其中插入了一個經驗性的前提，即所有權利聚集到同一些人的手中，會導致對自然權利的嚴重剝奪，因此導致暴政。於是，把麥迪森的明確論證重新構建在如下麥迪森式推理之中，似乎是有道理的。

假設 2：所有的權力（無論是立法的、行政的、還是司法的）聚集到同一些人手中，意味著外部制約的消除；

外部制約的消除導致暴政（來自假設 1）。

因此，所有的權力聚集到同一些人手中意味著暴政。

正如它所表明的，麥迪森的明確定義不一定是專斷的、不可爭辯的，它可以從一個定義派生出來。這個定義不僅同麥迪森思想的整體考慮高度契合，而且有助於使他的論點（就像以下將表明的那樣）更具有邏輯性，所以我打算堅持定義 2。

第二，在這裏，自然權利的概念並沒有明確地得到詳細說明。在麥迪森的同代人當中，就像在他的先輩之中一樣，關於哪些權利是自然權利，從未存在過絕對的一致意見。已有的一致停留在高度抽象的水準之上，在特殊情形中，這種一致常常為不一致留下了廣泛的機會。正如我們即將要看到的，不存在一種眾所週知的自然權利的定義，這是麥迪森式理論的中心困難之一。

第三，我使用了「嚴重剝奪」（severe deprivation）這個表達方式來涵括麥迪森及其同代人思想中的一種曖昧之處。在限制自然權利又不變成暴政方面，政府能走多遠呢？再者，就我所知道的範圍之內，無論是麥迪森本人，還是任何其它的麥迪森主義者，都沒有完整地提供一種令人滿意的標準。然而，麥迪森與其同代人無疑會一致同意這一點，即在最低水準上，任何未經允許的、對自然權利的剝奪，都是一種足以構成暴政的嚴重剝奪。

（節選自〔美〕羅伯特·達爾《民主理論的前言》，東方出版社 2009 年版）

編選說明 ●●●

羅伯特·達爾的《民主理論的前言》提出的多元主義，認為自由民主體制下的權力廣泛分佈於公民、利益集團和政黨之間，沒有單一的占絕對地位的團體或聯盟，一個以政治商討、競爭性選舉和多元精英為特徵的政體才是現代民主的唯一模式。達爾的影響已遠遠超出了美國，他的著作被譯成了多種文字。針對 20 世紀 80 年代末拉丁美洲和東歐的革命，進一步證明了他對民主理論的洞察力。

伊斯頓

政治系統的維繫取決於輸入—輸出的持續互動

此處對於一個政治系統的一般想像與一個嚴格的動力狀態相去甚遠。要想詳細論述這種動態，就必須深入研究誰享有一個系統分配的價值，權力是如何被配置和使用的，或在完成預定的維持政治生活系統的各種功能時各種結構起著什麼作用。所有這些政治分析的課題尚不足以把人們的注意力吸引到政治行動者的互動上去。可是，無論這些行動者是個人還是集團，互動總歸是動態的唯一形式。不幸的是，人們可能易於把這種互動錯看成一種完全不同的動態理論，這種理論把政治生活說成是一系列過程，通過此過程完成自己的工作，把信息和行為轉換為一些新的和不同的東西。

從某種意義上來看，甚至一個靜態的系統理論也會揭示系統各部分之間的互動。這就好像我們有一段一個系統在某個特定時刻的電影膠捲一樣，就該系統的每一個成員與其它成員的互動來看，他們也許是匆匆忙忙的。就此而言，一種靜態的分析就足以揭示動態的一個方面了。他可能描述了正在工作的系統過程。

不過，在認為系統分析突出表明一個系統的動態時，我的意思絕不止於此。如果人們不提醒我們來尋找這種工作過程，這樣的一段電影膠捲就不可能揭示它。這並不是因為單個系統的成員或集團憑藉其特性完成了其工作，而是因為作為一個相互關聯的行動框架的系統本身在力圖起作用。當然，沒有任何一段電影膠捲能夠原原本本地體現這一點。不過，我們總還可以由此大略地看到所有這些活動在每一瞬間的結果。關於政治生活，令人感興趣和理論上至關重要的問題是它確實在運行，只要認識到政治生活會經由其輸出尋到在一個潛伏著壓力的環境中保存下去的方式，我們就可以發現它的這種動態。我們已經看到，不管系統所承受的壓力原因何在，只要面對這種壓力，系統就可能起而對付它。就此而言，我們可以對一個系統中所發生的事情予以特別富有含義的闡釋。

我已經試圖表明，一個系統是一種手段，只有運用這種手段，才能把要求和支持的輸入轉變為輸出，這就構成了上述系統動態的某一個方面，即系統行為的分配方面。如前所述，這就提出了一個基本的政治問題：一個政治系統怎樣才能使這樣的轉變過程不斷運行，並提供一個藉以把輸入轉變為輸出的社會結構呢？從這個問題中，又引申出了另一個問題：這樣一種轉變過程的方式究竟包含些什麼內容呢？從最現代民主的到最專制的政治系統，無論系統的類型是什麼，其政治結構中的急劇變化，並不會阻礙這個轉變過程的運行。也就是說，任何一種政治系統都進行著輸入到輸出的轉變過程。因此，比起對一種政治系統理論框架的探討來，我們的分析必須使用更加廣泛的術語來描繪這一過程。

可是，如果我們處於分析的目的，把一切系統都作為我們的研究對象，那麼，就可以看到，把轉變過程看作是受著輸入本身所造成的壓力威脅，是十分有意義的。由於輸入容量過大或種類過多，或由於支持不夠，都會使系統地基本變數超出其臨界範圍。我們已經假定，如果一個系統想要持續下去，它就必須能夠設計出種種方法，對付現存的或潛在的壓力。

在說明系統的各種方法時，我們實際上不斷提到另一種動態。當然，對此，我以前僅僅只是提及而已。系統成員能夠影響系統本身或系統的環境，從而改造或改變這種環境及系統本身，並由此保障系統基本變數的持續。換言之，系統成員能夠運用處理機制，為輸入轉變為輸出即為社會權威性分配價值做好準備。在上一章中，為分析回饋環的運行而進行的概念探討，把政治系統這種能力的充分複雜性提到了顯著位置，也揭示了存在於一系統所有部分中的複雜關係。這種複雜關係變現為行為和反應的持續流，即從作為刺激物的輸出生產到回饋反應，再到關於反應的信息回饋，直到代表著一個天衣無縫的活動網路中的輸出反應。

認為在一個分析層次上，每件事看起來似乎與另外的事情都有聯繫，這在政治研究中是一種平庸之見。雖然，為了進行特定的研究，我們必須專門把現實的某一部分分割出來，可是，不管怎麼說，心眼裏總歸會想到，我們是違背了事實。不過，處於經驗研究的目的，這也是不可避免的。況且，只要我們充分地認識到我們論述的目的是什麼，那就不會造成什麼不良後果，可是，從理論上來看，我們並不是在什麼瑣細的意義上，而是著眼於考慮政治現象的關係，設計了一系列用以詳細闡述基本分析問題的構想和平行的若干範疇。我們絕不應該僅僅是倉猝承認使政治系統得以持續的、具有內在聯繫的活動持續流。正是為了作進一步的研究，我們才發展了系統分析理論。這一分析理論促使我們把政治生活說成是動態行為系統，它既是一個互動系統，又是總體上能夠以輸入裝變為輸出來實施運行的一系列活動。

按照動態的這第二個更廣泛的含義，我們給政治研究中人所週知的政治過程思想賦予了新的內容和含義。政治系統的研究包括了對於權威性分配過程的理解，不僅如此，它還需要進一步對系統長期持續背後的過程展開分析。而且，我們還確認，系統的持續是與作為一個開放、自控而且目標確定的政治系統自我改造的能力千絲萬縷地聯繫在一起的。這樣，一個系統如何設法通過變化（如果必須通過變化的話）持續下去之謎，就構成了政治生活分析的中心問題。

（節選自〔美〕大衛·伊斯頓《政治生活的系統分析》，華夏出版社 1987 年版）

編選說明 • • •

美國政治學家大衛·伊斯頓 1965 年出版的《政治生活的系統分析》，系統闡述了政治系統是由政治團體、體制和權威機構等部分構成的政治體系系統和環境的互動聯繫，提出了「輸入—輸出」的理論體系，標誌著政治學行為主義流派的成熟，政治系統分析模式也被廣泛應用於國內外政治實踐與研究，促進了政治學科學化的深入發展。

奧爾森

融入集團能使集體成員收益增加

不能再忽視進入和退出集團的活動了。這是很重要的一件事情。因為產業或者市場集團對待進入或退出集團的態度與非市場集團截然不同，一個產出中的企業希望沒有新的企業進來分享市場，並希望盡可能多的本產業的企業離開，它希望產業中的企業集團不斷縮小，最好最後只剩下它一家：它的理想是壟斷。這樣，一個市場中的企業彼此都是競爭對手。對尋求一件集體物品的非市場集團或組織來說情況正好相反。一般來說，分享收益或分擔成本的成員數量越大越好。集團規模的擴大不會帶來競爭，而會使原來成員分擔的成本減少。日常觀察顯然說明這一觀點是正確的。市場中的企業哀歎競爭的加劇、而在非市場條件下提供集體物品的社團幾乎總是會歡迎新的成員。事實上，這類組織有時試圖使加入集團成為一種義務。

本章的前幾節已經表明市場和非市場集團有著明顯的相似之處，那為什麼會產生這種差異呢？既然市場中的商人和遊說組織成員是相似的，即它們都會發現任何為實現集團目標所做的努力主要使集團其它成員的收益增加，那為什麼在進入和退出集團的問題上有這麼大的不同呢？答案是，在市場條件下，「集體物品」——更高的價格——意味著如果一家企業的售價高於那一價格，其它企業的售價就必須低於那一價格，這樣「集體物品」提供的收益在供給中是固定的。但在非市場條件下，集體物品帶來的收益在供給中並不固定。在任何一個給定市場中只能靠售出一定量的產品才能使價格不致降低，但是，任意數量的人可以加入一個遊說組織並不一定會減少其它人的收益。通常在市場條件下，一家企業獲得的，另一家企業就不可能得到；在非市場條件下，一個人消費的，另一個人基本上也能享受。在市場條件下，如果一家企業繁榮了，它會成為更可怕的對手；但在非市場條件下，如果集團中的一個成員繁榮了，他很可能會受到激勵負擔更大一部分集體物品的成本。

因為在市場條件下從「集體物品」——更高的價格——得到的收益數量是固定和有限的，這使市場集團的成員試圖減少它們集團的規模，在此稱這類集體物品為「排外的集體物品」。與之相反，在非市場條件下，當集團擴大時，集體物品的供給會自動地擴大，這類物品應被稱為「相容的經濟體物品」。

因此，一個集團的行為是排外的還是相容的，取決於集團尋求的目標的本質，而不是成員的任何性質。事實上，同一個企業或個人的集合可能在一種情況下是排外的集團，而在另一種情況下是相容的集團。一個產業中的企業在通過限制產量提高產業產品價格時是一個排外的集團，但當他們尋求較高的稅收、關稅或者其它任何政策變化時，它們就是相容的集團，會接受它們所能得到的一切幫助。一個集團的排外性或相容性取決於它尋求的目標，而不是其成員的任何特性，這點很重要，因為許多企業既在市場裏通過限制產量來提高價格，同時也在政治和社會系統中增進其共同利益。如果篇幅允許，可以通過排外的和相容的集體物品的差別來研究這類集團，這將來是很有趣味的。這一差別的邏輯表明，這類集團對新加入者的態度頗為矛盾。事實也正是如此。例如，工會有時候提倡「工人階級的團結」和需要封閉的車間，然而又制定出學徒規則來限制新的「工人階級」成員進入特定的勞動力市場。實際上，這個矛盾是分析工會在尋求什麼時候必須對待的根本因素。

相容的和排外的集團的一個更進一步的差別在它們曾嘗試過採取正式組織或非正式協調的行為時就顯而易見了。當一個相容的集團曾進行過組織或協調的努力時，它會說服盡可能多的成員加入那一努力。但是否集團中的每個人都要加入這一組織或協定並不是關鍵的（除非在邊際情況下，集體物品的價值剛好等於其成本）。這實際上是因為未參加者一般不會把相容的集體物品帶來的收益從參加者手中拿走。相容的集體物品的定義決定了一個未參加者獲得的收益並不會造成參加者受益的損失。

當一個集團通過市場中企業之間的協定或組織來尋求排外的集體物品——即，如果在市場中存在著公開的或暗中的共謀——情況就有了很大的不同。在這種情形下，儘管都希望產業中企業的數量都盡可能地小，但矛盾的是，那些留在集團中的企業百分之百地參與幾乎總是很必要的。這實際上是因為即使只有一家企業不參加，它也通常能把其它企業共同努力帶來的收益據為己有。除非不參加的企業的生產成本隨產量增加而上陞太快，不然它可以不斷擴大產量以利用其它企業共同努力所促成的更高的價格，直到這些採取共同行動的的企業，如果他們仍愚蠢地繼續維持這一價格的話，把他們的產量減少到零，而所有這些可以剝奪共同努力的企業帶來的所有收益，因為任何給定的超競爭價格帶來的收益在數量上是一定的；所以，它獲得的就是共同努力的企業所失去的。排外性的企業還有一個要麼全部都有，要麼一個也沒有的性質，即或者必須有百分之百的參與，或者就乾脆什麼共同努力也沒有。這一對百分之百參與的需要在一個產業中的作用與所有決定都要一致通過的憲章條款在投票系統中的作用是一樣的。在需要一致參加的場合，任一個體拒不參加都具有特別的討價還價的力量，他可以要求獲得集團行為帶來的大部分收益，而且，集團中的任何人都可以試圖成為拒不參加者，並要求獲得更多的收益以換取他的不可或缺的支持。這一對拒不參加者的激勵使任何集團行動都變得更為困難。它還表明每個成員有巨大的激勵討價還價；一個成功的討價還價可以使它獲得所有的收益，而失敗的討價還價則使它失去一切。這意味著在需要百分之百參與的場合裏討價還價的可能性要大大超過只需要少數人就能承擔集體活動的場合。

（節選自〔美〕奧爾森《集體行動的邏輯》，上海人民出版社 1995 年版）

編選說明 •••

奧爾森教授撰寫的《集體行動的邏輯》，對集團和組織行為的某些方面作了合乎邏輯的理論解釋。通過考察不同規模的集團行為，得出在許多情況下小集團更有效率、更富有生命力的結論，並按照本研究闡述的邏輯對許多政治學家使用的「集團理論」進行分析，鮮明提出了新的「壓力集團」理論，是公共選擇理論的奠基之作。

亨廷頓

政治穩定取決於政治制度化水準

各國之間最重要的政治區別，並不在於政府統治形式之間的不同，而在於政府統治程度的高低。有些國家的政治擁有一致性、一體性、合法性、組織性、高效和穩定的特點，而另外一些國家的政治則缺乏這些特點。這兩種政治之間的差異，要比民主制和獨裁制之間的差異更為顯著。共產極權國家和西方自由國家一般都屬於有效能的政治體系，而非軟弱無能的政治體系。美國、英國、蘇聯的政府統治形式各不相同，但它們的政府統治卻是行之有效的。他們都是政治共同體，其人民對其政治制度的合法性也都具有普遍的一致性認識。其公民和領袖對社會公益和政治共同體所賴於建立的傳統和原則都具有共同的認識。這三個國家都具有適應強和凝聚力高的強有力的政治制度：有效能的科層制；組織良好的政黨；人民對公共事務的積極參與；文職官員控制軍人的有效機制；政府對經濟的廣泛參與以及調節權力繼承和控制政治衝突的合理有效的程序。這樣的政府博得了其公民的效忠，因而能徵集稅收、徵召人力，並具有制定政策和實施政策的能力。一旦最高決策機構（內閣或總統）作出決策，基本上都可以通過政府機器得到忠實的貫徹。

美國、英國及蘇聯的政治體系，正是由於具備上述特性而與許多（如果說不是大多數）亞非拉現代化中國家的政治體系有著很大的差異。這些國家存在著許多缺陷：糧食不足，文化教育落後，財富貧乏，收入低微，衛生健康狀況不良，生產力不發達。但以上這些缺陷中的絕大部分已為現代化中的國家所認識，他們已採取措施力圖改善這種狀況。然而，事實上他們還有一個更大的缺陷，即它們缺少政治共同體和有效能、有權威及合法的統治方式。著名的政治評論家沃爾特·李普曼曾評論說：「我確信，對於生活在社會中的人來說，他們最需要的就是被統治。如果有可能，他們便會自我治理；如果他們走運，他們則會得到組織良好的統治。但無論如何，他們必須受到統治。」李普曼先生的這番話，是在他對美國的前途懷有絕望情緒時寫下的，其實它更適用於亞非拉現代化中的國家。因為在那裏，政治共同體四分五裂，彼此自相殘殺；政治機構軟弱無力，缺少威嚴和彈力，政府通常是徒有虛名。政治與發達同經濟落後一樣，都是亞非拉現代化國家所應主要關注的問題。

除眾所週知的幾個少數國家以外，這些現代化中的國家在第二次世界大戰以後的政治演變狀況具有下屬基本特徵：種族衝突與階級衝突日益加劇，暴力事件迭起，軍人政變頻繁，反覆無常的領導人物掌權並常常推行災難性的經濟改革和社會政策，內閣大臣余文職人員普遍而公開地貪污營私，任意侵犯公民的權利和自由，行政效率和效能日益低下，都市政治集團的疏離感極為普遍，立法機構和法院皆喪失了自己的權威，社會基礎龐雜的各政黨發生分裂或完全解體。

政治秩序衰退，政府權威、效能及其合法性遭受破壞等現象遍及亞非拉三洲。這裏缺少道德與公共精神，缺少可以確定公共利益含義的方向的政治制度。我們面前呈現的景象不是政治發展，而是政治衰退。

造成這種暴力和不穩定的原因是什麼呢？本書的中心命題認為，它主要是社會飛速變革，以及新的社會集團被迅速動員起來湧入政治領域，而同時政治制度卻發展緩慢的結果。托克維爾曾指出：「在治理人類社會的諸法規中，似乎有一條法規最為準確無誤、明確易見，即倘若人類要保持文明或要變得文明，就要在社會地位平等發展的同時，使其相互聯繫的藝術也以同等的比例得到改進與完善。」

亞非拉地區出現的政治不穩定，恰恰是因為未能滿足這個條件：政治參與的平等狀況遠比「相互聯繫的藝術」發展得迅速。社會和經濟的變革，其中包括都市化，識字率和教育水準的提高、工業化、大眾傳播媒介的擴大等，提高了人們的政治意識，增加了人們的政治需求，擴大了政治參與。這些變化動搖了傳統政治權威和制度的根基，也使人們為政治聯繫奠定新的基礎以及創立既合法又有效能的新的政治制度的任務，變得更加複雜了。簡而言之，社會動員和政治參與的擴張的速度偏高，政治組織化和制度化的速度偏低，其結果只能是政治不穩定和無秩序。這些國家面臨的最為重要的制度問題，是政治制度的發展落後於經濟和社會的變革。

（節選自〔美〕撒母耳.亨廷頓《變革社會中的政治秩序》，上海譯文出版社 1989 年版）

編選說明 ●●●

本書系美國著名政治學家亨廷頓的代表作。該書運用結構功能法、動態過程考察、歷史比較等研究方法,以獨到的見解分析了政治發展在現代化中的地位，政治民主與政治穩定的關係，民主機制運行的條件等問題，深入分析了秩序和穩定的相互關係，明確提出了政治穩定取決於政治制度化水準的論點，對尋找現代化中的國家如何盡可能平穩地實現現代化的道路具有重要的參考價值。

布坎南

政治民主是公共選擇的結果

我們以不同的方式進行分析，已經清晰地表明瞭某些財政原則必須恢復。凱恩斯理論所喚起的預算中的無政府狀態，不能再繼續下去了。在我們的總標題下，有兩個相互補充的原則，一個研究政治家的行為，另一個則論述我們的經濟秩序的本質。

即使我們接受有關經濟運行的秩序的凱恩斯理論，民主政治的壓力也很可能使凱恩斯處方的運用發生偏差。凱恩斯理論對於平衡預算約束的破壞，很可能會導致預算赤字、貨幣膨脹和公共部門膨脹的傾向。政治家們自然希望只開支而不徵稅，平衡預算約束的消除使他們得以充分表達這些發自內心的自然情感。

如果貨幣數量的變化對經濟產生的影響是中立的，那麼凱恩斯主義通貨膨脹傾向本身就不值得一提了。但是，貨幣數量的變化並非是中性的，因為這些變化會影響經濟內部一系列變數的實際行為。正是貨幣數量變動的這種非中性影響，使得凱恩斯主義的通貨膨脹傾向具有如此巨大的破壞力。貨幣的創造扭曲了經濟運行的各種信號，結果勞動和資本投入了那些如果沒有不斷增加的通貨膨脹就無法維持的領域。虛假的信號也減少了諸如標準核算等計劃的信息量，從而增加了經濟運行參與者的決策失誤。

政治家們不可避免地面臨一個悲劇性的選擇環境，由於不可能同時滿足所有人的願望，他們必須否定其中的一部分。在缺乏平衡預算約束的條件下，政治家們可以直接避開這種選擇環境。既然一個能夠給某些公民帶來收益的決策必然以犧牲他人利益為代價，那麼要求公開地和直截了當第對此作出否定，難道是毫無道理的嗎？在這樣的環境下，核定一項對某些公民有力的支出，只要政治家公開說明這會使那些人花費更少或者那些人支付更多稅款就可以了。

公民們逐漸產生的從他們的政治家那兒獲得麵包和馬戲的希望，有可能遭到拒絕。如果政治家們不給他們提供這類東西，他們就會選舉其它的政治家來取而代之。有鑑於此，極少有政治家拒絕施行這種小恩小惠。能說滿足選民願望較之拒絕他們不是一件更令人高興的事嗎？畢竟，給予比拒絕更能使人感到滿意，尤其為無須計算這種給予的成本的時候更是如此。哪個人不想扮演聖誕老人呢？但是，當一個平民發現自己不能或者不願意拒絕這個願望時，是他自己承擔這種行動的代價，而政治家們則要對全體選民負責。他們的愚蠢就是我們的愚蠢。

如果一個政治家被預算約束所強制而拒絕各種各樣的要求者，並最終失去了官職，這可能是令人遺憾的，但卻絲毫無損於國家利益。假如允許這個政治家息事寧人，遇事少說「不」字，國家的繁榮和自由就會受到損害。一個國家不能在不敢直接面對短缺這一基本事實的政治制度下苟延殘喘。要想給予某人更多而不減少其它人的份額，簡直是不可能的。並且，要在不降低明天消費而儲蓄又沒有增加的前提下，增加今天的消費也是不可能的。可見，短缺確實是生活中的一個現實，不能面對這一事實的政治制度威脅著繁榮、自由社會的生存。

（節選自〔美〕布坎南《赤字中的民主》，北京經濟學院出版社 1988 年版）

編選說明 ●●●

布坎南的《赤字中的民主》，認為民主政治活動中的個人活動也具有交換的性質，人們在政治活動中達成協議、協調衝突、制定規則無不建立在自願的基礎上，因而類似市場中的交換，強調把政治理解為一個在解決利益衝突時進行交換達成協議的過程。該書運用的公共選擇理論開闢了一條全新的民主研究思路，使其觀點與我們所觀察到的事實更為符合，把政治民主研究引向深入。

擴展閱讀

1.〔古希臘〕西塞羅：《共和國》，中國政法大學出版社 1997 年版。
2.〔意大利〕阿奎那：《神學大全》，商務印書館 2001 年版。
3.〔英〕約翰·密爾：《論自由》，商務印書館 2005 年版。
4.〔英〕哈林頓：《大洋國》，商務印書館 1996 年版。
5.〔荷〕斯賓諾莎：《神學政治論》，商務印書館 2009 年版。
6.〔法〕孟德斯鳩：《論法的精神》，商務印書館 2009 年版。
7.〔法〕盧梭：《論人類不平等的起源和基礎》，商務印書館 1982 年版。
8.〔英〕邊沁：《政府片論》，商務印書館 1995 年版。
9.〔英〕卡爾·波普爾：《歷史決定論的貧困》，中國社會科學出版社 2000 年版。
10.〔德〕卡爾·曼海姆：《意識形態與烏托邦》，三聯書店 2011 年版。
11.〔美〕羅伯特·達爾：《現代政治分析》，上海譯文出版社 1987 年版。
12.〔美〕阿爾蒙德：《比較政治學：體系、過程和政策》，上海譯文出版社 1987 年版。
13.〔美〕曼·奧爾森：《國家興衰探源》，商務印書館 1993 年版。
14.〔美〕亨廷頓：《第三波：20 世紀後期的民主化浪潮》，三聯書店 1998 年版。
15.〔美〕羅爾斯：《政治自由主義》，譯林出版社 2000 年版。
16.〔美〕赫爾德：《民主的模式》，中央編譯出版社 1998 年版。
17.〔美〕薩托利：《民主新論》，東方出版社 1993 年版。

三 ●●● 中國歷代政治經典

周文王

運動變化的辯證法

乾（卦一）——吉人自有天象

（乾下乾上）乾：元亨，利貞。初九：潛龍勿用。九二：見龍在田，利見大人。九三：君子終日乾乾，夕惕若厲，無咎。九四：或躍在淵，無咎。九五：飛龍在天，利見大人。上九：亢龍有悔。用九：見群龍無首，吉。

坤（卦二）——貼近大地的胸懷

（坤下坤上）坤：元亨。利牝馬之貞。君子有攸往，先迷，後得主。利西南，得朋；東北，喪朋。安貞吉。初六：履霜，堅冰至。六二：直，方，大；不習，無不利。六三：含章，可貞。或從王事，無成有終。六四：括囊，無咎無譽。六五：黃裳，元吉。上六:龍戰於野，其血玄黃。用六:利永貞。師（卦七）——戰爭是王者之事（坎下坤上）師：貞丈人，吉，無咎。初六：師出以律，否臧，凶。

九二：在師中，吉，無咎。王三錫命。六三：師或輿屍，凶。六四；師左次，無咎。六五：田有禽，利執言，無咎。長子婚帥師，弟子四輿屍，貞凶。上六：大君有命，開國承家。小人勿用。

比（卦八）——團結的學問

（坤下坎上）比：吉。原筮，元永貞，無咎。不寧方來，後夫凶。初六：有孚，比之。無咎。有孚，盈缶。終來有它，吉。六二：比之自內，貞吉。六三：比之匪人。六四：外比之，貞吉。九五：顯比。王用三驅，失前禽。邑人不誡，吉。上六：比之無首，凶。 泰（卦十一）——運動變化的辯證法

（乾下坤上）泰：小往大來。初九：拔茅茹，以其匯。徵，吉。九二：包荒，用馮河，不遐遺。朋亡，得尚於中行。九三：無平不陂，無往不復。艱貞，無咎。勿恤，其孚於食，有福。六四：翩翩，不富以其鄰，不戒以孚。六五：帝乙歸妹，以祉，元吉。上六：城復於隍，勿用師，自邑告命。貞吝。自邑告命。貞吝。

（節選自周文王《周易》，《四書五經》，北京古籍出版社 1995 年版）

編選說明 ●●●

《周易》是建立在陰陽二元論基礎上對事物運行規律加以論證和描述的書籍，歷來是人們修身、齊家、平天下的哲學之書，至今仍然影響著我們的日常學習、工作、處世等行為。根據《易傳·繫辭上》所講：「易有太極，是生兩儀，兩儀生四象，四象生八卦，八卦定吉凶，吉凶生大業。」《周易》64 卦、384 爻解說其實就是一部行為學經典，如「潛龍勿用」，就是闡述事物正處在一個將要發生而沒有發生的時期，如龍在潛伏之中，不能動也不宜動，需要韜光養晦。另外，對戰爭、運動和團結的論述也有助於我們理解和諧社會建設的重要內涵。

管仲

政之所興，在順民心；政之所廢，在逆民心

四維

國有四維，一維絕則傾，二維絕則危，三維絕則覆，四維絕則滅。傾可正也，危可安也，覆可起也，滅不可復錯也。何謂四維？一曰禮，二曰義，三曰廉，四曰恥。禮不逾節，義不自進，廉不蔽惡，恥不從枉。故不逾節，則上位安；不自進，則民無巧詐；不蔽惡，則行自全；不從枉，則邪事不生。

四順

政之所興，在順民心；政之所廢，在逆民心。民惡憂勞，我佚樂之；民惡貧賤，我富貴之；民惡危墜，我存安之；民惡滅絕，我生育之。能佚樂之，則民為之憂勞；能富貴之，則民為之貧賤；能存安之，則民為之危墜；能生育之，則民為之滅絕。故刑罰不足以畏其意，殺戮不足以服其心。故刑罰繁而意不恐，則令不行矣；殺戮眾而心不服，則上位危矣。故從其四欲，則遠者自親；行其四惡，則近者叛之。故知予之為取者，政之寶也。

（節選自《管子》，中華書局 2009 年版）

編選說明

管仲，姬姓，名夷吾，謚曰「敬仲」，漢族，中國春秋時期齊國潁上(今安徽潁上)人，史稱管子。春秋時期齊國著名的政治家、軍事家。管仲有《管子》一書傳世，主要論述治國、治民、治軍的原則與經驗，注重經濟，主張改革以富國強兵，深刻地分析了戰爭觀、治軍理論的成敗得失。管仲改革成效顯著，齊國由此國力大振，成為春秋霸主之一。

老子

上善若水

第三章

不尚賢，使民不爭；不貴難得之貨，使民不為盜；不見可欲，使民心不亂。是以聖人之治，虛其心，實其腹，弱其志，強其骨。常使民無知無欲。使夫智者不敢為也。為無為，則無不治。

第五章

天地不仁，以萬物為芻狗；聖人不仁，以百姓為芻狗。天地之間，其猶橐籥乎？虛而不屈，動而愈出。多言數窮，不如守中。

第六章

谷神不死，是謂玄牝。玄牝之門，是謂天地根。綿綿若存，用之不勤。

第七章

天長地久。天地所以能長且久者，以其不自生，故能長生。是以聖人後其身而身先；外其身而身存。非以其無私邪？故能成其私。

第八章

上善若水。水善利萬物而不爭，處眾人之所惡，故幾於道。居善地，心善淵，與善仁，言善信，政善治，事善能，動善時。夫唯不爭，故無尤。

（節選自《道德經》，中華書局 2010 年版）

編選說明 • • •

老子，又稱老聃、李耳，是我國古代偉大的哲學家和思想家、道家學派創始人，在道教中老子被尊為道祖，世界百位歷史名人之一，存世作品有《道德經》（又稱《老子》）。《道德經》共 81 章，前 37 章為上篇《道經》，第 38 章以下屬下篇《德經》。全書的思想結構是：道是德的「體」，德是道的「用」。其作品的精華是樸素辯證法，主張無為而治，以求達到無不為的理想境界。《道德經》《易經》和《論語》被認為是對中國人影響最深遠的三部思想巨著。

孔子

為政以德

子曰：「為政以德，譬如北辰，居其所而眾星共之。」

子曰：「詩三百，一言以蔽之，曰：思無邪。」

子曰：「道之以政，齊之以刑，民免而無恥，道之以德，齊之以禮，有恥且格。」

子曰：「吾十有五而志於學，三十而立，四十而不惑，五十而知天命，六十而耳順，七十而從心所欲不逾矩。」

孟懿子問孝，子曰：「無違。」樊遲御，子告之曰：「孟孫問孝於我，我對曰無違。」樊遲曰：「何謂也。」子曰：「生，事之以禮；死，葬之以禮，祭之以禮。」

子曰：「吾與回言，終日不違，如愚。退而省其私，亦足以發，回也不愚。」

子曰：「視其所以，觀其所由，察其所安，人焉廋哉？人焉廋哉？」

子曰：「溫故而知新，可以為師矣。」

子曰：「君子不器。」

子貢問君子。子曰：「先行其言而後從之。」

子曰：「君子周而不比，小人比而不周。」

子曰：「學而不思則罔，思而不學則殆。」

子曰：「攻乎異端，斯害也已。」

子曰：「由，誨女，知之乎？知之為知之，不知為不知，是知也。」

子張學干祿，子曰：「多聞闕疑，慎言其餘，則寡尤；多見闕殆，慎行其餘，則寡悔。言寡尤，行寡悔，祿在其中矣。」

哀公問曰：「何為則民服？」孔子對曰：「舉直錯諸枉，則民服；舉枉錯諸直，則民不服。」

季康子問：「使民敬、忠以勸，如之何？」子曰：「臨之以莊，則敬；孝慈，則忠；舉善而教不能，則勸。」

或謂孔子曰：「子奚不為政？」子曰：「《書》云：'孝乎惟孝，友於兄弟。' 施於有政，是亦為政，奚其為為政？」

子張問：「十世可知也？」子曰：殷因於夏禮，所損益可知也；周因於殷禮，所損益可知也。其或繼周者，雖百世，可知也。」

（節選自《論語》，中華書局 2006 年版）

編選說明 • • •

《論語》是儒家學派的經典著作之一，由孔子的弟子及其再傳弟子編撰而成，「論」是編纂，「語」是話語的意思,成書於戰國初期。它以語錄體和對話文體為主，記錄了孔子及其弟子言行，集中體現了孔子的治國理念、政治主張、倫理思想、道德觀念及教育原則等。《論語・為政》篇表達了孔子的「為政以德」思想，這是強調道德對政治生活的決定作用，主張以道德教化為治國的原則。這是孔子學說中較有價值的部分，表明儒家治國的基本原則是德治，而非嚴刑峻法。

孫武

知己知彼，百戰不殆

始計第一

孫子曰：兵者，國之大事，死生之地，存亡之道，不可不察也。

故經之以五事，校之以計而索其情：一曰道，二曰天，三曰地，四曰將，五曰法。道者，令民與上同意也，故可以與之死，可以與之生，而不畏危。天者，陰陽、寒暑、時制也。地者，遠近、險易、廣狹、死生也。將者，智、信、仁、勇、嚴也。法者，曲制、官道、主用也。凡此五者，將莫不聞，知之者勝，不知者不勝。故校之以計，而索其情。曰：主孰有道？將孰有能？天地孰得？法令孰行？兵眾孰強？士卒孰練？賞罰孰明？吾以此知勝負矣。

將聽吾計，用之必勝，留之；將不聽吾計，用之必敗，去之。

計利以聽，乃為之勢，以佐其外。勢者，因利而制權也。

兵者，詭道也。故能而示之不能，用而示之不用，近而示之遠，遠而示之近。利而誘之，亂而取之，實而備之，強而避之，怒而撓之，卑而驕之，佚而勞之，親而離之。攻其無備，出其不意。此兵家之勝，不可先傳也。

夫未戰而廟算勝者，得算多也；未戰而廟算不勝者，得算少也。多算勝，少算不勝，而況於無算乎？吾以此觀之，勝負見矣。

謀攻第三

孫子曰：凡用兵之法，全國為上，破國次之；全軍為上，破軍次之；全旅為上，破旅次之；全卒為上，破卒次之；全伍為上，破伍次之。是故百戰百勝，非善之善者也；不戰而屈人之兵，善之善者也。

故上兵伐謀，其次伐交，其次伐兵，其下攻城。攻城之法為不得已。修櫓轒轀，具器械，三月而後成，距闉又三月而後已。將不勝其忿，而蟻附，殺士三分之一，而城不拔者，此攻之災也。

故善用兵者，屈人之兵而非戰也，拔人之城而非攻也，毀人之國而非久也，必以全爭於天下，故兵不頓而利可全，此謀攻之法也。

故用兵之法，十則圍之，五則攻之，倍則分之，敵則能戰之，少則能逃之，不若則能避之。故小敵之堅，大敵之擒也。

夫將者，國之輔也，輔周則國必強，輔隙則國必弱。

故君之所以患於軍者三；不知軍之不可以進而謂之進，不知軍之不可以退而謂之退，是謂縻軍。不知三軍之事，而同三軍之政者，則軍士惑矣。不知三軍之權而同三軍之任，則軍士疑矣。三軍既惑且疑，則諸侯之難至矣，是謂亂軍引勝。

故知勝有五：知可以戰與不可以戰者勝，識眾寡之用者勝，上下同欲者勝，以虞待不虞者勝，將能而君不禦者勝。此五者，知勝之道也。

故曰：知彼知己者，百戰不殆；不知彼而知己，一勝一負；不知彼，不知己，每戰必殆。

（節選自《孫子兵法》，中華書局 2006 年版）

編選說明 ●●●

《孫子兵法》又稱《孫武兵法》《吳孫子兵法》《孫子兵書》《孫武兵書》等，由孫武草創，後來經其弟子整理成書，全書共分十三章。《孫子兵法》內容博大精深，思想精邃深刻，邏輯縝密嚴謹，字裏行間不乏真知灼見，是我國最古老、最傑出的一部兵書，也是中國古典軍事文化遺產中的璀璨瑰寶，更是中國優秀文化傳統的重要組成部分，歷來備受推崇。

左丘明

一鼓作氣，再而衰，三而竭

曹劌論戰

齊師伐我，公將戰。曹劌請見。其鄉人曰：「肉食者謀之，又何間焉？」劌曰：「肉食者鄙，未能遠謀。」遂入見。

問：「何以戰？」公曰：「衣食所安，弗敢專也，必以分人。」對曰：「小惠未遍，民弗從也。」公曰：「犧牲玉帛，弗敢加也，必以信。」對曰：「小信未孚，神弗福也。」公曰：「小大之獄，雖不能察，必以情。」對曰：「忠之屬也，可以一戰。戰，則請從。」

公與之乘，戰於長勺。公將鼓之。劌曰：「未可。」齊人三鼓，劌曰：「可矣。」齊師敗績。公將馳之，劌曰：「未可。」下視其轍，登軾而望之，曰：「可矣！」遂逐齊師。

即克，公問其故。對曰：「夫戰，勇氣也。一鼓作氣，再而衰，三而竭。彼竭我盈，故克之。夫大國，難測也，懼有伏焉。吾視其轍亂，望其旗靡，故逐之。」

（節選自左丘明《左傳》，中華書局 2007 年版）

編選說明 ●●●

《左傳》相傳是春秋末期的魯國史官左丘明所著。它與《春秋公羊傳》《春秋穀梁傳》合稱「《春秋》三傳」。《左傳》以《春秋》為本，通過記述春秋時期的具體史實來說明《春秋》的綱目。(《春秋》是我國第一部編年體歷史著作。)《左傳》是我國第一部敘事完整的編年體歷史著作，不僅發展了《春秋》的編年體，而且引錄保存了當時流行的一部分應用文，為後世應用寫作的發展提供了借鑒。

孟子

得道者多助，失道者寡助

得道多助失道寡助

天時不如地利，地利不如人和。三里之城，七里之郭，環而攻之而不勝。夫環而攻之，必有得天時者矣，然而不勝者，是天時不如地利也。城非不高也，池非不深也，兵革非不堅利也，米粟非不多也，委而去之，是地利不如人和也。故曰：域民不以封疆之界，固國不以山溪之險，威天下不以兵革之利。得道者多助，失道者寡助。寡助之至，親戚畔之。多助之至，天下順之。以天下之所順，攻親戚之所畔，故君子有不戰，戰必勝矣。

生於憂患，死於安樂

舜發於畎畝之中，傅說舉於版築之間，膠鬲舉於魚鹽之中，管夷吾舉於士，孫叔敖舉於海，百里奚舉於市。故天將降大任於斯人也，必先苦其心志，勞其筋骨，餓其體膚，空乏其身，行拂亂其所為，所以動心忍性，增益其所不能。人恒過，然後能改；困於心，衡於慮，而後作；徵於色，發於聲，而後喻。入則無法家拂士，出則無敵國外患者，國恒亡。然後知生於憂患，而死於安樂也。

（節選自《孟子》，中華書局 2006 年版）

編選說明 ●●●

孟子，名軻，字子輿，鄒國（今山東省鄒城市）人。孟子與孔子合稱「孔孟」。孔子是至聖，孟子是亞聖。孟子是孔子第四代弟子。《孟子》一書是孟子的言論彙編，由孟子及其再傳弟子共同編寫而成，集中記錄了孟子的語言、政治觀點（仁政、王霸之辨、民本、格君心之非，民貴君輕）和政治行動的儒家經典著作。孟子的文章說理暢達，氣勢充沛並長於論辯,邏輯嚴密,尖銳機智,代表著傳統散文寫作最高峰。

莊子

與人和者，謂之人樂；與天和者，謂之天樂

天道

天道運而無所積，故萬物成；帝道運而無所積，故天下歸；聖道運而無所積，故海內服。明於天，通於聖，六通四闢於帝王之德者，其自為也，昧然無不靜者矣。聖人之靜也，非曰靜也善，故靜也；萬物無足以鐃心者，故靜也。水靜則明燭鬚眉，平中準，大匠取法焉。水靜猶明，而況精神！聖人之心靜乎！天地之鑒也，萬物之鏡也。夫虛靜恬淡寂漠無為者，天地之平而道德之至也。故帝王聖人休焉。休則虛，虛則實，實則倫矣。虛則靜，靜則動，動則得矣。靜則無為，無為也，則任事者責矣。無為則俞俞，俞俞者，憂患不能處，年壽長矣。夫虛靜恬淡寂漠無為者，萬物之本也。明此以南鄉，堯之為君也；明此以北面，舜之為臣也。以此處上，帝王天子之德也；以此處下，玄聖素王之道也。以此退居而閒遊江海，山林之士服；以此進為而撫世，則功大名顯而天下一也。靜而聖，動而王，無為也而尊，樸素而天下莫能與之爭美。夫明白於天地之德者，此之謂大本大宗，與天和者也；所以均調天下，與人和者也。與人和者，謂之人樂；與天和者，謂之天樂。

莊子曰：「吾師乎！吾師乎！齏萬物而不為戾；澤及萬世而不為

仁；長於上古而不為壽；覆載天地刻彫眾形而不為巧。」此之謂天樂。故曰：知天樂者，其生也天行，其死也物化。靜而與陰同德，動而與陽同波。故知天樂者，無天怨，無人非，無物累，無鬼責。故曰：其動也天，其靜也地，一心定而王天下；其鬼不祟，其魂不疲，一心定而萬物服。言以虛靜推於天地，通於萬物，此之謂天樂。天樂者，聖人之心以畜天下也。

夫帝王之德，以天地為宗，以道德為主，以無為為常。無為也，則用天下而有餘；有為也，則為天下用而不足。故古之人貴夫無為也。上無為也，下亦無為也，是下與上同德。下與上同德則不臣。下有為也，上亦有為也，是上與下同道。上與下同道則不主。上必無為而用天下，下必有為為天下用，此不易之道也。

故古之王天下者，知雖落天地，不自慮也；辯雖彫萬物，不自說也；能雖窮海內，不自為也。天不產而萬物化，地不長而萬物育，帝王無為而天下功。故曰：莫神於天，莫富於地，莫大於帝王。故曰：帝王之德配天地。此乘天地，馳萬物，而用人群之道也。

本在於上，末在於下；要在於主，詳在於臣。三軍五兵之運，德之末也；賞罰利害，五刑之辟，教之末也；禮法度數，形名比詳，治之末也；鐘鼓之音，羽旄之容，樂之末也；哭泣衰絰，隆殺之服，哀之末也。此五末者，須精神之運，心術之動，然後從之者也。末學者，古人有之，而非所以先也。君先而臣從，父先而子從，兄先而弟從，長先而少從，男先而女從，夫先而婦從。夫尊卑先後，天地之行也，故聖人取象焉。天尊地卑，神明之位也；春夏先，秋冬後，四時之序也；萬物化作，萌區有狀，盛衰之殺，變化之流也。夫天地至神矣，而有尊卑先後之序，而況人道乎！宗廟尚親，朝廷尚尊，鄉黨尚齒，行事尚賢，大道之序也。語道而非其序者，非其道也。語道而非其道者，安取道哉！

是故古之明大道者，先明天而道德次之，道德已明而仁義次之，仁義已明而分守次之，分守已明而形名次之，形名已明而因任次之，因任已明而原省次之，原省已明而是非次之，是非已明而賞罰次之。賞罰已明而愚知處宜，貴賤履位，仁賢不肖襲情。必分其能，必由其名。以此事上，以此畜下，以此治物，以此修身，知謀不用，必歸其天。此之謂太平，治之至也。

（節選自《莊子》，中華書局2010年版）

編選說明 ●●●

莊子，戰國時宋國人，與道家始祖老子並稱為「老莊」。其代表作《莊子》，採用寓言故事形式，想像力豐富，文筆變化多端，具有濃厚的浪漫主義色彩，並富有幽默諷刺的意味，對後世有很大影響。其政治哲學主要接受並發展了老子的思想，主張「天道無為」，站在天道的環中和人生邊上來反思人生。他提出「道」是客觀真實的存在，把「道」視為宇宙萬物的本源，講天道自然無為。在政治上主張無為而治，在人類生存方式上主張返璞歸真。這既有宇宙觀方面的討論，也涉及認識論方面的許多問題，屬於一種生命的哲學，對後世影響很大。

荀子

主道治近不治遠

王霸

治國者，分已定，則主相、臣下、百吏各謹其所聞，不務聽其所不聞；各謹其所見，不務視其所不見。所聞所見誠以齊矣。則雖幽閒隱闢，百姓莫敢不敬分安制以化其上，是治國之徵兆也。主道治近不治遠，治明不治幽，治一不治二。主能治近則遠者理，主能治明則幽者化，主能當一則百事正。夫兼聽天下，日有餘而治不足者如此也，是治之極也。既能治近，又務治遠；既能治明，又務見幽；既能當一，又務正百，是過者也。過猶不及也，辟之是猶立直木而求其景之枉也。不能治近，又務治遠；不能察明，又務見幽；不能當一，又務正百；是悖者也，辟之是猶立枉木而求其景之直也。故明主好要而闇主好詳。主好要則百事詳，主好詳則百事荒。君者，論一相，陳一法，明一指，以兼覆之，兼照之，以觀其盛者也。相者，論列百官之長，要百事之聽，以飾朝廷臣下百吏之分，度其功勞，論其慶賞，歲終奉其成功以效於君。當則可，不當則廢。故君人勞於索之，而佚於使之。

用國者，得百姓之力者富，得百姓之死者強，得百姓之譽者榮。三得者具而天下歸之，三得者亡而天下去之；天下歸之之謂王，天下去之之謂亡。湯、武者，循其道，行其義，興天下同利，除天下同害，天下歸之。故厚德音以先之，明禮義以道之，致忠信以愛之，賞賢使能以次之，爵服賞慶以申重之，時其事、輕其任以調齊之，潢然兼覆之，養長之，如保赤子。生民則致寬，使民則綦理，辯政令制度，所以接天下之人百姓，有非理者如豪末，則雖孤獨鰥寡必不加焉。是故百姓貴之如帝，親之如父母，為之出死斷亡而不愉者，無它故焉，道德誠明，利澤誠厚也。亂世則不然：污漫、突盜以先之，權謀傾覆以示之，俳優、侏儒、婦女之請謁以悖之，使愚詔知，使不肖臨賢，生民則致貧隘，使民則綦勞苦。是故，百姓賤之如尫，惡之如鬼，日欲司間而相與投藉之，去逐之。卒有寇難之事，又望百姓之為己死，不可得也，說無以取之焉。孔子曰：「審吾所以適人，適人之所以來我也。」此之謂也。

（節選自《荀子》，中華書局 2010 年版）

編選說明 ●●●

《荀子》的作者荀況，是新興地主階級的思想家。該書在繼承前期儒家學說的基礎上，又吸收了各家的長處加以綜合、改造，發展了古代唯物主義傳統。《荀子》的文章論題鮮明，結構嚴謹，說理透徹，有很強的邏輯性。語言豐富多彩，善於比喻，排比偶句很多，有他特有的風格，素有「諸子大成」的美稱，標誌著我國古代政治說理文趨於成熟，對後世政治說理文章有較大影響。

韓非子

事以密成，語以泄敗

說難

凡說之難：非吾知之有以說之之難也，又非吾辯之能明吾意之難也，又非吾敢橫失而能盡之難也。凡說之難：在知所說之心，可以吾說當之。所說出於為名高者也，而說之以厚利，則見下節而遇卑賤，必棄遠矣。所說出於厚利者也，而說之以名高，則見無心而遠事情，必不收矣。所說陰為厚利而顯為名高者也，而說之以名高，則陽收其身而實疏之；說之以厚利，則陰用其言顯棄其身矣。此不可不察也。

夫事以密成，語以泄敗。未必棄身泄之也，而語及所匿之事，如此者身危。彼顯有所出事，而乃以成他故，說者不徒知所出而已矣，又知其所以為，如此者身危。規異事而當知者揣之外而得之，事泄於外，必以為己也，如此者身危。周澤未渥也，而語極知，說行而有功，則德忘；說不行而有敗，則見疑，如此者身危。貴人有過端，而說者明言禮義以挑其惡，如此者身危。貴人或得計而欲自以為功，說者與知焉，如此者身危。強以其所不能為，止以其所不能已，如此者身危。故與之論大人，則以為間己矣；與之論細人，則以為賣重。論其所愛，則以為借資；論其所憎，則以為嘗己也。徑省其說，則以為不智而拙之；米鹽博辯，則以為多而交之。略事陳意，則曰怯懦而不盡；慮事廣肆，則曰草野而倨侮。此說之難，不可不知也。

凡說之務，在知飾所說之所矜而滅其所恥。彼有私急也，必以公義示而強之。其意有下也，然而不能已，說者因為之飾其美，而少其不為也。其心有高也，而實不能及，說者為之舉其過而見其惡，而多其不行也。有欲矜以智慧，則為之舉異事之同類者，多為之地，使之資說於我，而佯不知也以資其智。欲內相存之言，則必以美名明之，而微見其合於私利也。欲陳危害之事，則顯其毀誹而微見其合於私患也。譽異人與同行者，規異事與同計者。有與同污者，則必以大飾其無傷也；有與同敗者，則必以明飾其無失也。彼自多其力，則毋以其難概之也；自勇之斷，則無以其謫怒之；自智其計，則毋以其敗窮之。大意無所拂悟，辭言無所繫縻，然後極騁智辯焉。此道所得，親近不疑而得盡辭也。伊尹為宰，百里奚為虜，皆所以幹其上也。此二人者皆聖人也；然猶不能無役身以進加，如此其污也！今以吾言為宰虜，而可以聽用而振世，此非能仕之所恥也。夫曠日離久，而周澤既渥，深計而不疑，引爭而不罪，則明割利害以致其功，直指是非以飾其身，以此相持，此說之成也。

昔者鄭武公欲伐胡，故先以其女妻胡君以娛其意。因問於群臣，「吾欲用兵，誰可伐者？」大夫關其思對曰：「胡可伐。」武公怒而戮之，曰：「胡，兄弟之國也。子言伐之何也？」胡君聞之，以鄭為親己，遂不備鄭。鄭人襲胡，取之。宋有富人，天雨，牆壞。其子曰：「不築，必將有盜。」其鄰人之父亦云。暮而果大亡其財。其家甚智其子，而疑鄰人之父。此二人說者皆當矣，厚者為戮，薄者見疑，則非知之難也，處知則難也。故繞朝之言當矣，其為聖人於晉，而為戮於秦也，此不可不察。

昔者彌子瑕有寵於衛君。衛國之法：竊駕君車者罪刖。彌子瑕母病，人間往夜告彌子，彌子矯駕君車以出。君聞而賢之，曰：「孝哉！為母之故忘其刖罪。」異日，與君游于果園，食桃而甘，不盡，以其半啖君。君曰：「愛我哉！忘其口味，以啖寡人。」及彌子色衰愛弛，得罪於君，君曰：「是固嘗矯駕吾車，又嘗啖我以餘桃。」故彌子之行未變於初也，而以前之所以見賢而後獲罪者，愛憎之變也。故有愛於主，則智當而加親；有憎於主，則智不當見罪而加疏。故諫說談論之士，不可不察愛憎之，主而後說焉。夫龍之為蟲也，柔可狎而騎也；然其喉下有逆鱗徑尺，若人有嬰之者則必殺人。人主亦有逆鱗，說者能無嬰人主之逆鱗，則幾矣。

（選自《韓非子》，中華書局 2011 年版）

編選說明 ●●●

韓非師從荀卿，繼承並發展了法家思想從「觀往者得失之變」之中探索變弱為強的道路，著有《韓非子》一書，全面、系統地闡述了他的法治思想。其文説理精密，文鋒犀利，議論透闢，推證事理，切中要害，還善於用大量淺顯的寓言故事和豐富的歷史知識作為論證資料，説明抽象的道理。在他文章中出現的很多寓言故事，如《説難》中列舉的「智子疑鄰」等兩個例子，因其豐富的內涵，生動的故事，成為膾炙人口的成語典故，至今為人們廣泛運用。

呂不韋

察己則可以知人，察今則可以知古

察今

上胡不法先王之法，非不賢也，為其不可得而法。先王之法，經乎上世而來者也，人或益之，人或損之，胡可得而法？雖人弗損益，猶若不可得而法。東夏之命，古今之法，言異而典殊。故古之命多不通乎今之言者，今之法多不合乎古之法者。殊俗之民，有似於此。其所為欲同，其所為欲異。愔之命不愉，若舟車衣冠滋味聲色之不同，人以自是，反以相誹。天下之學者多辯，言利辭倒，不求其實，務以相毀，以勝為故。先王之法，胡可得而法？雖可得，猶若不可法。

凡先王之法，有要於時也，時不與法俱至，法雖今而至，猶若不可法。故擇先王之成法，而法其所以為法。先王之所以為法者何也？先王之所以為法者人也；而己亦人也，故察己則可以知人，察今則可以知古，古今一也，人與我同耳。有道之士，貴以近知遠，以今知古，以益所見知所不見。故審堂下之陰，而知日月之行、陰陽之變；見瓶水之冰，而知天下之寒、魚鱉之藏也；嘗一脟肉，而知一鑊之味、一鼎之調。

荊人欲襲宋，使人先表澭水。澭水暴益，荊人弗知，循表而夜涉，溺死者千有餘人，軍驚而壞都舍。向其先表之時可導也，今水已變而益多矣，荊人尚猶循表而導之，此其所以敗也。今世之主，法先王之法也，有似於此。其時已與先王之法虧矣，而曰「此先王之法也」，而法之以為治，豈不悲哉？故治國無法則亂，守法而弗變則悖，悖亂不可以持國。世易時移，變法宜矣。譬之若良醫，病萬變，藥亦萬變。病變而藥不變，嚮之壽民，今為殤子矣。故凡舉事必循法以動，變法者因時而化，若此論則無過務矣。

夫不敢議法者，眾庶也；以死守者，有司也；因時變法者，賢主也。是故有天下七十一聖，其法皆不同，非務相反也，時勢異也。故曰良劍期乎斷，不期乎鏌　；良馬期乎千里，不期乎驥驁。夫成功名者，此先王之千里也。

楚人有涉江者，其劍自舟中墜於水，遽契其舟曰：「是吾劍之所從墜。」舟止，從其所契者入水求之。舟已行矣，而劍不行，求劍若此，不亦惑乎？以此故法為其國與此同。時已徙矣，而法不徙，以此為治，豈不難哉？

有過於江上者，見人方引嬰兒而欲投之江中，嬰兒啼。人問其故，曰：「此其父善游。」其父雖善游，其子豈遽善遊哉？此任物亦必悖矣。荊國之為政，有似於此。

（節選自呂不韋《呂氏春秋》，王曉明注譯《呂氏春秋通詮》，江西人民出版社 2010 年版）

編選說明 ●●●

《呂氏春秋》是由秦國丞相呂不韋主編的一部古代類百科全書似的傳世巨著，共分為十二紀、八覽、六論，共十二卷，一百六十篇，二十餘萬字。呂不韋自己認為其中包括了天地萬物古往今來的事理，所以號稱《呂氏春秋》。該書對先秦諸子的思想進行了總結性的批判，繼承了老莊的無為思想，系統闡述了社會歷史發展觀，在理論上和史料上都有很高的參考價值。

董仲舒

凡物必有合

基義

凡物必有合；合必有上，必有下，必有左，必有右，必有前，必有後，必有表，必有裏，有美必有惡，有順必有逆，有喜必有怒，有寒必有暑，有晝必有夜，此皆其合也。陰者，陽之合，妻者，夫之合，子者，父之合，臣者，君之合，物莫無合，而合各相陰陽。陽兼於陰，陰兼於陽，夫兼於妻，妻兼於夫，父兼於子，子兼於父，君兼於臣，臣兼於君，君臣、父子、夫婦之義，皆取諸陰陽之道。君為陽，臣為陰，父為陽，子為陰，夫為陽，妻為陰，陰陽無所獨行，其始也不得專起，其終也不得分功，有所兼之義。是故臣兼功於君，子兼功於父，妻兼功於夫，陰兼功於陽，地兼功於天。舉而上者，抑而下也，有屏而左也，有引而右也，有親而任也，有疏而遠也，有欲日益也，有欲日損也，益其用而損其妨，有時損少而益多，有時損多而益少，少而不至絕，多而不至溢。陰陽二物，終歲各壹出，壹其出，遠近同度而不同意，陽之出也，常縣於前而任事，陰之出也，常縣於後而守空處，此見天之親陽而疏陰，任德而不任刑也。是故仁義制度之數，盡取之天，天為君而覆露之，地為臣而持載之，陽為夫而生之，陰為婦而助之，春為父而生之，夏為子而養之，秋為死而棺之，冬為痛而喪之，王道之三綱，可求於天。天出陽為暖以生之，地出陰為清以成之，不暖不生，不清不成，然而計其多少之分，則暖暑居百而清寒居一，德教之與刑罰猶此也。故聖人多其愛而少其嚴，厚其德而簡其刑，以此配天。天之大數，必有十旬，旬天地之數，十而畢反，旬生長之功，十而畢成。天之氣徐，占寒占暑，故寒不凍，暑不暍，以其有餘徐來，不暴卒也。易曰：「履霜堅在，蓋言遜也。」然則上堅不踰等，果是天之所為弗作而成也，人之所為亦當弗作而極也，凡有興者，稍稍上之，以遜順往，使人心說而安之，無使人心恐，故曰：君子以人治人，懂能願。此之謂也。聖人之道，同諸天地，蕩諸四海，變易習俗。

（節選自董仲舒《春秋繁露》，中州古籍出版社 2007 年版）

編選說明 ●●●

西漢中期，戰亂頻仍的諸侯王國割據局面基本結束，中央集權得到鞏固與加強，經濟社會得到很大發展。為適應統一的中央集權的需要，西漢董仲舒（前 179—前 104 年）撰《春秋繁露》十七卷，闡釋儒家經典《春秋》之書，書名為「繁露」。此書以儒家宗法思想為中心，全面論證了「天不變道亦不變」的形而上學思想。所謂「道」，是根據天意建立起來的統治制度和方法，《繁露》用形而上學的觀點加以分析判斷，指出「凡物必有合」，認為這個道是永恆的、絕對的。該書反映的思想是中央專制集權的反映，但對當時維護國家統一，也起過積極的作用。

賈誼

前事不忘，後事之師

秦兼諸侯山東三十餘郡，脩津關，據險塞，繕甲兵而守之。然陳涉率散亂之眾數百，奮臂大呼，不用弓戟之兵，耰白梃，望屋而食，橫行天下。秦人阻險不守，關梁不閉，長戟不刺，強弩不射。楚師深入，戰於鴻門，曾無藩籬之難。於是山東諸侯並起，豪俊相立。秦使章邯將而東征，章邯因其三軍之眾，要市於外，以謀其上。群臣之不相信，可見於此矣。子嬰立，遂不悟。藉使子嬰有庸主之材而僅得中佐，山東雖亂，三秦之地可全而有，宗廟之祀宜未絕也。

秦地被山帶河以為固，四塞之國也。自繆公以來至於秦王二十餘君，常為諸侯雄。此豈世賢哉？其勢居然也。且天下嘗同心並力攻秦矣，然困於險阻而不能進者，豈勇力智慧不足哉？形不利、勢不便也。秦雖小邑，伐並大城，得阨塞而守之。諸侯起於匹夫，以利會，非有素王之行也。其交未親，其民未附，名曰亡秦，其實利之也。彼見秦阻之難犯，必退師。案土息民以待其弊，收弱扶罷以令大國之君，不患不得意於海內。貴為天子，富有四海，而身為禽者，救敗非也。

秦王足己而不問，遂過而不變。二世受之，因而不改，暴虐以重禍。子嬰孤立無親，危弱無輔。三主之惑，終身不悟，亡不亦宜乎？當此時也，也非無深謀遠慮知化之士也，然所以不敢盡忠指過者，秦俗多忌諱之禁也，——忠言未卒於口而身糜沒矣。故使天下之士傾耳而聽，重足而立，闔口而不言。是以三主失道，而忠臣不諫，智士不謀也。天下已亂，奸不上聞，豈不悲哉！先王知壅蔽之傷國也，故置公卿、大夫、士，以飾法設刑而天下治。其強也，禁暴誅亂而天下服；其弱也，王霸徵而諸侯從；其削也，內守外附而社稷存。故秦之盛也，繁法嚴刑而天下震；及其衰也，百姓怨而海內叛矣。故周王序得其道，千餘載不絕；秦本末並失，故不能長。由是觀之，安危之統相去遠矣。

鄙諺曰：「前事之不忘，後事之師也。」是以君子為國，觀之上古，驗之當世，參之人事，察盛衰之理，審權勢之宜，去就有序，變化因時，故曠日長久而社稷安矣。

（節選自賈誼《過秦論》，《賈誼集·賈太傅新書》，嶽麓書社 2010 年版）

編選說明 ●●●

《過秦論》是賈誼政論散文的代表作，分上中下三篇。這是一篇見解深刻而又極富藝術感染力的文章，從內質看，述史實，渲染鋪張，材料富贍，發議論，簡練透闢，見解情微，著重從各個方面分析秦王朝的過失，旨在總結秦速亡的歷史經驗；從外形看，起伏多變，文筆放蕩，論證嚴密，語言優美。寫秦興，氣焰赫赫，不可一世；寫秦亡，急轉直下，迅速覆滅；最後是一錘定音，推出全文論點，以期為鞏固漢朝統治提供借鑒。

諸葛亮

鞠躬盡瘁，死而後已

先帝創業未半而中道崩殂，今天下三分，益州疲弊，此誠危急存亡之秋也。然侍衛之臣不懈於內，忠志之士忘身於外者，蓋追先帝之殊遇，欲報之於陛下也。誠宜開張聖聽，以光先帝遺德，恢弘志士之氣，不宜妄自菲薄，引喻失義，以塞忠諫之路也。

宮中府中，俱為一體，陟罰臧否，不宜異同。若有作奸犯科及為忠善者，宜付有司論其刑賞，以昭陛下平明之理，不宜偏私，使內外異法也。

侍中侍郎郭攸之、費禕、董允等，此皆良實，志慮忠純，是以先帝簡拔以遺陛下。愚以為宮中之事，事無大小，悉以諮之，然後施行，必能裨補闕漏，有所廣益。

將軍向寵，性行淑均，曉暢軍事，試用於昔日，先帝稱之曰能，是以眾議舉寵為督。愚以為營中之事，悉以諮之，必能使行陣和睦，優劣得所。

親賢臣，遠小人，此先漢所以興隆也；親小人，遠賢臣，此後漢所以傾頹也。先帝在時，每與臣論此事，未嘗不歎息痛恨於桓、靈也。侍中、尚書、長史、參軍，此悉貞良死節之臣，願陛下親之信之，則漢室之隆，可計日而待也。

臣本布衣，躬耕於南陽，苟全性命於亂世，不求聞達於諸侯。先帝不以臣卑鄙，猥自枉屈，三顧臣於草廬之中，諮臣以當世之事，由是感激，遂許先帝以驅馳。後值傾覆，受任於敗軍之際，奉命於危難之間，爾來二十有一年矣。

先帝知臣謹慎，故臨崩寄臣以大事也。受命以來，夙夜憂歎，恐託付不效，以傷先帝之明，故五月渡瀘，深入不毛。今南方已定，兵甲已足，當獎率三軍，北定中原，庶竭駑鈍，攘除奸凶，興復漢室，還於舊都。此臣所以報先帝而忠陛下之職分也。至於斟酌損益，進盡忠言，則攸之、禕、允之任也。

願陛下托臣以討賊興復之效，不效則治臣之罪，以告先帝之靈。若無興德之言，則責攸之、禕、允等之慢，以彰其咎；陛下亦宜自謀，以諮諏善道，察納雅言。深追先帝遺詔，臣不勝受恩感激。

今當遠離，臨表涕零，不知所云。

（選自諸葛亮《前出師表》，吳楚材選注《古文觀止》，中華書局 2007 年版）

編選說明 ● ● ●

公元 221 年，劉備稱帝，諸葛亮為丞相。223 年，劉備病死，將劉禪託付給諸葛亮。《出師表》是諸葛亮出師臨行伐魏前，寫給後主劉禪的奏章，文中以懇切的言辭，勸說了後主要繼承先帝遺志，廣開言路，賞罰分明，親賢遠佞，完成興復漢室的大業，表達了諸葛亮對先帝的知遇之恩的真摯感情和北定中原的決心。這篇表文歷來受到人們的高度讚揚，被視為表中的代表作。

李密

孝子之至，莫大乎尊親

臣密言：臣以險釁，夙遭閔凶。生孩六月，慈父見背。行年四歲，舅奪母志。祖母劉愍臣孤弱，躬親撫養。臣少多疾病，九歲不行，零丁孤苦，至於成立。既無伯叔，終鮮兄弟；門衰祚薄，晚有兒息。外無期功強近之親，內無應門五尺之童。煢煢孑立，形影相弔。而劉夙嬰疾病，常在床蓐；臣侍湯藥，未曾廢離。

逮奉聖朝，沐浴清化。前太守臣逵察臣孝廉，後刺史臣榮舉臣秀才。臣以供養無主，辭不赴命。詔書特下，拜臣郎中，尋蒙國恩，除臣洗馬。猥以微賤，當侍東宮，非臣隕首所能上報。臣具以表聞，辭不就職。詔書切峻，責臣逋慢。郡縣逼迫，催臣上道；州司臨門，急於星火。臣欲奉詔奔馳，則劉病日篤；欲苟順私情，則告訴不許：臣之進退，實為狼狽。

伏惟聖朝以孝治天下，凡在故老，猶蒙矜育，況臣孤苦，特為尤甚。且臣少仕偽朝，歷職郎署，本圖宦達，不矜名節。今臣亡國賤俘，至微至陋。過蒙拔擢，寵命優渥，豈敢盤桓，有所希冀！但以劉日薄西山，氣息奄奄，人命危淺，朝不慮夕。臣無祖母，無以至今日；祖母無臣，無以終餘年。母孫二人，更相為命。是以區區不能廢遠。

臣密今年四十有四，祖母劉今年九十有六，是臣盡節於陛下之日長，報養劉之日短也。烏鳥私情，願乞終養。臣之辛苦，非獨蜀之人士及二州牧伯所見明知，皇天后土,實所共鑒。願陛下矜憫愚誠，聽臣微志，庶劉僥倖，保卒餘年。臣生當隕首，死當結草。臣不勝犬馬怖懼之情，謹拜表以聞。

（選自李密《陳情表》，吳楚材選注《古文觀止》，中華書局 2007 年版）

編選說明 •••

《陳情表》為西晉李密寫給晉武帝的奏章。文章首先敘述祖母撫育自己的大恩，以及自己應該報養祖母的大義；其次提出晉朝「以孝治天下」這個治國綱領；再次，在闡明除了感謝朝廷的知遇之恩的同時，又傾訴自己不能從命的苦衷，真情流露，委婉暢達。該文被認定為中國文學史上抒情文的代表作之一，有「讀李密《陳情表》不流淚者不孝」的說法。

魏徵

思國之安者，必積其德義

臣聞求木之長者，必固其根本；欲流之遠者，必濬其泉源；思國之安者，必積其德義。源不深而望流之遠，根不固而求木之長，德不厚而望國之治，雖在下愚，知其不可，而況於明哲乎？人君當神器之重，居域中之大，將崇極天之峻，永保無疆之休，不念居安思危，戒奢以儉，德不處其厚，情不勝其欲，斯亦伐根以求木茂，塞源而欲流長也。

凡百元首，承天景命，莫不殷憂而道著，功成而德衰，有善始者實繁，能克終者蓋寡。豈其取之易而守之難乎？昔取之而有餘,今守之而不足,何也？夫在殷憂,必竭誠以待下，既得志則縱情以傲物；竭誠則吳越為一體，傲物則骨肉為行路。雖董之以嚴刑，震之以威怒，終苟免而不懷仁，貌恭而不心服。怨不在大，可畏惟人；載舟覆舟，所宜深慎。

奔車朽索，其可忽乎？君人者，誠能見可欲，則思知足以自戒；將有作，則思知止以安人；念高危，則思謙沖以自牧；懼滿溢，則思江海下百川；樂盤遊，則思三驅以為度；憂懈怠，則思慎始而敬終；慮壅蔽，則思虛心以納下；想讒邪，則思正身以黜惡；恩所加，則思無因喜以謬賞；罰所及，則思無因怒而濫刑；總此十思，宏茲九德，簡能而任之，擇善而從之，則智者盡其謀，勇者竭其力，仁者播其惠，信者效其忠；文武爭馳，君臣無事，可以盡豫游之樂，可以養松喬之壽。鳴琴垂拱，不言而化。何必勞神苦思，代下司職，役聰明之耳目，虧無為之大道哉？

（選自魏徵《諫太宗十思疏》，吳楚材選注《古文觀止》，中華書局 2007 年版）

編選說明 •••

《諫太宗十思疏》是魏徵寫於貞觀十一年，勸諫唐太宗的上疏。全文圍繞「思國之安者，必積其德義」的主旨，規勸唐太宗在政治上要慎始敬終，虛心納下，賞罰公正；用人時要知人善任，簡能擇善；生活上要崇尚節儉，不輕用民力。這些主張雖以鞏固李唐王朝為出發點，但客觀上使人民得以休養生息，有利於初唐的強盛。本文以「思」為線索，將所要論述的問題連綴成文，文理清晰，結構縝密，說理透徹，音韻鏗鏘，氣勢充沛，是一篇很好的論說文。

吳兢

若安天下，必須先正其身

貞觀初，太宗謂侍臣曰：「為君之道，必須先存百姓，若損百姓以奉其身，猶割股以啖腹，腹飽而身斃。若安天下，必須先正其身，未有身正而影曲，上治而下亂者。朕每思傷其身者不在外物，皆由嗜欲以成其禍。若耽嗜滋味，玩悅聲色，所欲既多，所損亦大，既防政事，又擾生民，且復出一非理之言，百姓為之解體，怨既作，離叛亦興。朕每思此，不敢縱逸。」諫議大夫對曰：「古者聖哲之主，皆亦近取諸身，故能遠體諸物。昔楚聘詹何，問其治國之要，詹何對以修身之術。楚王又問治國何如？詹何曰：未聞身治而國亂者。陛下所明，實同古義。」

貞觀二年，太宗問魏徵曰：「何謂為明君、暗君？」魏徵曰：「君之所以明者，兼聽也；其所以暗者，偏信也。《詩》云：先民有言，詢於芻蕘。」昔唐、虞之理，闢四門，明四目、達四聰是以聖無不照，故共、鯀之徒，不能塞也，靖言庸回，不能惑也。秦二世則隱藏其身，捐隔疏賤而偏信趙高，及天下潰叛，竟不得知也。隋煬帝偏信虞世基，而諸賊攻城剽邑，亦不得知也。是故人君兼聽納下，則貴臣不得壅蔽，而下情必得上通也。」太宗甚善其言。

（節選自吳兢《貞觀政要》，上海古籍出版社 2007 年版）

編選說明 •••

《貞觀政要》是一部政論性的史書。這部書以記言為主，所記基本上是貞觀年間唐太宗李世民與臣下關於施政問題的對話。該書將君臣問答、奏書、方略等材料，按照為君之道、任賢納諫、君臣鑒戒、教誡太子、道德倫理、正身修德、崇尚儒術、固本寬刑、征伐安邊、善始慎終等一系列專題內容歸類排列，蘊含著豐富的治國安民的政治觀點和成功的施政經驗，對從事政治的領導者具有啟發作用。

梁啟超

少年智則國智，少年強則國強

日本人之稱我中國也，一則曰老大帝國，再則曰老大帝國。是語也，蓋襲譯歐西人之言也。嗚呼！我中國其果老大矣乎？任公曰：惡！是何言！是何言！吾心目中有一少年中國在。

欲言國之老少，請先言人之老少。老年人常思既往，少年人常思將來。惟思既往也，故生留戀心；惟思將來也，故生希望心。惟留戀也，故保守；惟希望也，故進取。惟保守也，故永舊；惟進取也，故日新。惟思既往也，事事皆其所已經者，故惟知照例；惟思將來也，事事皆其所未經者，故常敢破格。老年人常多憂慮，少年人常好行樂。惟多憂也，故灰心；惟行樂也，故盛氣。惟灰心也，故怯懦；惟盛氣也，故豪壯。惟怯懦也，故苟且；惟豪壯也，故冒險。惟苟且也，故能滅世界；惟冒險也，故能造世界。老年人常厭事，少年人常喜事。惟厭事也，故常覺一切事無可為者；惟好事也，故常覺一切事無不可為者。老年人如夕照，少年人如朝陽。老年人如瘠牛，少年人如乳虎。老年人如僧，少年人如俠。老年人如字典，少年人如戲文。老年人如鴉片煙，少年人如潑蘭地酒。老年人如別行星之隕石，少年人如大洋海之珊瑚島。老年人如埃及沙漠之金字塔，少年人如西伯利亞之鐵路。老年人如秋後之柳，少年人如春前之草。老年人如死海之瀦為澤，少年人如長江之初發源。此老年人與少年人性格不同之大略也。任公曰：人固有之，國亦宜然。

任公曰：傷哉，老大也！潯陽江頭琵琶婦，當明月繞船，楓葉瑟瑟，衾寒於鐵，似夢非夢之時，追想洛陽塵中春花秋月之佳趣。西宮南內，白髮宮娥，一燈如穗，三五對坐，談開元、天寶間遺事，譜《霓裳羽衣曲》。青門種瓜人，左對孺人，顧弄孺子，憶侯門似海珠履雜沓之盛事。拿破崙之流於厄蔑，阿剌飛之幽於錫蘭，與三兩監守吏，或過訪之好事者，道當年短刀匹馬馳騁中原，席卷歐洲，血戰海樓，一聲叱吒，萬國震恐之豐功偉烈，初而拍案，繼而撫髀，終而攬鏡。嗚呼，面皴齒盡，白髮盈把，頹然老矣！若是者，舍幽鬱之外無心事，舍悲慘之外無天地；舍頹唐之外無日月，舍歎息之外無音聲；舍待死之外無事業。美人豪傑且然，而況尋常碌碌者耶？生平親友，皆在墟墓；起居飲食，待命於人。今日且過，遑知他日？今年且過，遑恤明年？普天下灰心短氣之事，未有甚於老大者。於此人也，而欲望以拿雲之手段，迴天之事功，挾山超海之意氣，能乎不能？

嗚呼！我中國其果老大矣乎？立乎今日以指疇昔，唐虞三代，若何之郅治；秦皇漢武，若何之雄傑；漢唐來之文學，若何之隆盛；康乾間之武功，若何之烜赫。歷史家所鋪敘，詞章家所謳歌，何一非我國民少年時代良辰美景、賞心樂事之陳跡哉！而今頹然老矣！昨日割五城，明日割十城，處處雀鼠盡，夜夜雞犬驚。十八省之土地財產，已為人懷中之肉；四百兆之父兄子弟，已為人注籍之奴，豈所謂「老大嫁作商人婦」者耶？嗚呼！憑君莫話當年事，憔悴韶光不忍看！楚囚相對，岌岌顧影，人命危淺，朝不慮夕。國為待死之國，一國之民為待死之民。萬事付之奈何，一切憑人作弄，亦何足怪！

任公曰：我中國其果老大矣乎？是今日全地球之一大問題也。如其老大也，則是中國為過去之國，即地球上昔本有此國，而今漸澌滅，他日之命運殆將盡也。如其非老大也，則是中國為未來之國，即地球上昔未現此國，而今漸發達，他日之前程且方長也。欲斷今日之中國為老大耶？為少年耶？則不可不先明「國」字之意義。夫國也者，何物也？有土地，有人民，以居於其土地之人民，而治其所居之土地之事，自製法律而自守之；有主權，有服從，人人皆主權者，人人皆服從者。夫如是，斯謂之完全成立之國。地球上之有完全成立之國也，自百年以來也。完全成立者，壯年之事也。未能完全成立而漸進於完全成立者，少年之事也。故吾得一言以斷之曰：歐洲列邦在今日為壯年國，而我中國在今日為少年國。

夫古昔之中國者，雖有國之名，而未成國之形也。或為家族之國，或為酋長之國，或為諸侯封建之國，或為一王專制之國。雖種類不一，要之，其於國家之體質也，有其一部而缺其一部。正如嬰兒自胚胎以迄成童，其身體之一二官支，先行長成，此外則全體雖粗具，然未能得其用也。故唐虞以前為胚胎時代，殷周之際為乳哺時代，由孔子而來至於今為童子時代。逐漸發達，而今乃始將入成童以上少年之界焉。其長成所以若是之遲者，則歷代之民賊有窒其生機者也。譬猶童年多病，轉類老態，或且疑其死期之將至焉，而不知皆由未完成未成立也。非過去之謂，而未來之謂也。

且我中國疇昔，豈嘗有國家哉？不過有朝廷耳！我黃帝子孫，聚族而居，立於地球之上者既數千年，而問其國之為何名，則無有也。夫所謂唐、虞、夏、商、周、秦、漢、魏、晉、宋、齊、梁、陳、隋、唐、宋、元、明、清者，則皆朝名耳。朝也者，一家之私產也。國也者，人民之公產也。朝有朝之老少，國有國之老少。朝與國既異物，則不能以朝之老少而指為國之老少明矣。文、武、成、康，周朝之少年時代也。幽、厲、桓、赧，則其老年時代也。高、文、景、武，漢朝之少年時代也。元、平、桓、靈，則其老年時代也。自餘歷朝，莫不有之。凡此者謂為一朝廷之老也則可，謂為一國之老也則不可。一朝廷之老且死，猶一人之老且死也，於吾所謂中國者何與焉。然則，吾中國者，前此尚未出現於世界，而今乃始萌芽云爾。天地大矣，前途遼矣。美哉我少年中國乎！

……

任公曰：造成今日之老大中國者，則中國老朽之冤業也。制出將來之少年中國者，則中國少年之責任也。彼老朽者何足道，彼與此世界作別之日不遠矣，而我少年乃新來而與世界為緣。如僦屋者然，彼明日將遷居他方，而我今日始入此室處。將遷居者，不愛護其窗櫳，不潔治其庭廡，俗人恒情，亦何足怪！若我少年者，前程浩浩，後顧茫茫。中國而為牛為馬為奴為隸，則烹臠鞭棰之慘酷，惟我少年當之。中國如稱霸宇內，主盟地球，則指揮顧盼之尊榮，惟我少年享之。於彼氣息奄奄與鬼為鄰者何與焉？彼而漠然置之，猶可言也。我而漠然置之，不可言也。使舉國之少年而果為少年也，則吾中國為未來之國，其進步未可量也。使舉國之少年而亦為老大也，則吾中國為過去之國，其澌亡可翹足而待也。故今日之責任，不在他人，而全在我少年。少年智則國智，少年富則國富；少年強則國強，少年獨立則國獨立；少年自由則國自由，少年進步則國進步；少年勝於歐洲則國勝於歐洲，少年雄於地球則國雄於地球。紅日初升，其道大光。河出伏流，一瀉汪洋。潛龍騰淵，鱗爪飛揚。乳虎嘯谷，百獸震惶。鷹隼試翼，風塵吸張。奇花初胎，矞矞皇皇。干將發硎，有作其芒。天戴其蒼，地履其黃。縱有千古，橫有八荒。前途似海，來日方長。美哉我少年中國，與天不老！壯哉我中國少年，與國無疆！

（節選自梁啟超《少年中國說》，《飲冰室合集》，北京大學出版社 2005 年版）

編選說明 ●●●

《少年中國說》是清朝末年梁啟超所作的散文，寫於戊戌變法失敗後的 1900 年，文中極力歌頌少年的朝氣蓬勃，指出封建統治下的中國是「老大帝國」，熱切希望出現「少年中國」，振奮人民的精神。文章不拘格式，多用比喻，具有強烈的鼓動性。酣暢淋漓，多用比喻、對比，具有強烈的進取精神，寄託了作者對少年中國的熱愛和期望。

康有為

野蠻之世尚質，太平之世尚文

大同世之工業，使天下之工，必盡歸於公，凡百工大小之製造廠、鐵道、輪船、皆歸焉，不許有獨人之私業矣。

公政府立工部，各部小政府立工曹，察其地形之宜而立工廠，或近水而易轉運，或近市而易製作，皆酌其工之宜而行之。商部核全地人民所需之什器若干，凡精者、楛者、日用者、遊樂賞玩者、新異者、尋常者，察各物多寡之差，以累年之報告比較而定其額。乃察各度界之工，其精擅專門風俗尤長者，譬若江西景德鎮之瓷、蘇杭之絲織、廣州之螺鈿刻牙、博山之、成都之錦；其在歐洲，則意人尤長於工，佛羅練士之畫與雕刻，威尼士之玻璃雕刻，羅馬兼之；法巴黎之於衣冠、杖履、首飾，理華之瓷、里昂之絲，皆統於工部者也。商部乃以舉國所需之物品、什器之大數分之於各度精工擅長之地，而定各地各品物、什器製造之額，移之工部。工部核定，下之各度界工曹，工曹督各工廠場如額而制之。各工曹工廠皆有主、伯、亞、旅、府、史、胥、徒，皆以學校之及年者為之。其有成業證書者，授為學士、工師、技師、匠師、工長、技長、匠長之號，得為主、伯、府、史，累遷可至公政府、分政府之工部長，皆專門為之，終身不移官，不貳事。其工價因其工之美惡勤惰為數十級而與之，其有精能而幹才者，則工人可遷工長，以累遷本曹之主、伯、府、史焉。其工曹有各工講習會，各工學士、技師入而講習，其有所發明，皆於報布告之。其廠亦然。

當大同之時，工廠既盡歸公，則一廠之巨大，為今世所難思議。用人可至千百萬，亙地可至千百里，廠內儼如古國土，廠主儼如古邦君，其分管各職之伯，其補助之亞，管數之府，記事之史如大夫，其群管工之旅如士，其巡察之胥如下士，作役之徒如民，其議工之院如朝廷，其蓄圖畫器物之府皆有學士、技師百數，以朝夕論思，日月獻納，如天祿、石渠，其公園花木、水石如上林，皆有音樂院、戲園，聽工人自為之。工人皆有公室，人二室，一臥室，一客室，更有浴溷小室，十餘人則有公廳，作工者不論男女，皆許同居，其別寓旅舍者亦聽。有公飯廳，食聽人所好，而扣其工費；有講道院，日日有學士講道德之名理、古今之故事、及工業之良術，以教誨之。其工費皆於安息日支給，衣食玩好自費焉，聽其揮霍，而留其十分之一作儲金，以備其將來遠遊辭工之用。其至下之工，必足給其衣食之需，以時議之。其公室樓閣宏麗，花木幽靚，過於今之大富室矣。

夫野蠻之世尚質，太平之世尚文。尚質故重農，足食斯已矣；尚文故重工，精奇瑰麗，驚猶鬼神，日新不窮，則人情所好也。故太平之世，無所尚，所最尚者，工而已；太平之世，無所尊高，所尊高者，工之創新器而已；太平之世，無所苦，為工者樂而已矣。

（節選自康有為《大同書》，上海古籍出版社 2009 年版）

編選說明 ●●●

領導震驚中外的戊戌維新運動和撰寫《大同書》，是康有為對中國近代歷史和中國文化思想寶庫最重要的貢獻。《大同書》融會儒家的大同說與基督教的「平等」觀，吸納達爾文的進化論與傅立葉等人的空想社會主義，提出了建設一個無私產、無階級、人人相親、人人平等的大同世界的理想，對於未來社會的展望和構想，頗具想像力。其立意高遠，文辭豐贍，不少新奇可喜的主張頗具思想深度，如婦女解放、奴隸解放、取消國界、取消階級、政府議會化，堪稱近代中國思想史上的名著。

陳獨秀

新文化運動的播種機

自主的而非奴隸的

……解放云者，脫離夫奴隸之羈絆，以完其自主自由之人格之謂也。我有手足，自謀溫飽；我有口舌，自陳好惡；我有心思，自崇所信；絕不認他人之越俎，亦不應主我而奴他人；蓋自認為獨立自主之人格以上，一切操行，一切權利，一切信仰，唯有聽命各自固有之智慧，斷無盲從隸屬他人之理。非然者，忠孝節義，奴隸之道德也（德國大哲尼采〔Nietzsche〕別道德為二類：有獨立心而勇敢者曰貴族道德〔Morality of Noble〕,謙遜而服從者曰奴隸道德〔Morality of Slave〕）；輕刑薄賦，奴隸之幸福也；稱頌功德，奴隸之文章也；拜爵賜第，奴隸之光榮也；豐碑高墓，奴隸之紀念物也；以其是非榮辱，聽命他人，不以自身為本位，則個人獨立平等之人格，消滅無存，其一切善惡行為，勢不能訴之自身意志而課以功過；謂之奴隸，誰曰不宜？立德立功，首當辨此。

進步的而非保守的

人生如逆水行舟，不進則退，中國之恒言也。自宇宙之根本大法言之，森羅萬象，無日不在演進之途，萬無保守現狀之理；特以俗見拘牽，謂有二境，此法蘭西當代大哲柏格森（H. Bergson）之「創造進化論」所以風靡一世也。以人事之進化言之，篤古不變之族，日就衰亡；日新求進之民，方興未已；存亡之數，可以逆睹。矧在吾國，大夢未覺，故步自封，精之政教文章，粗之布帛水火，無一不相形醜曲拙，而可與當世爭衡？

……

進取的而非退隱的

……夫生存競爭，勢所不免，一息尚存，即無守退安隱之餘地。排萬難而前行，乃人生之天職。以善意解之，退隱為高人出世之行；以惡意解之，退隱為弱者不適競爭之現象。歐俗以橫厲無前為上德，亞洲以閒逸恬淡為美風，東西民族強弱之原因，斯其一矣。此退隱主義之根本缺點也。

……

世界的而非鎖國的

……

吾國自通海以來，自悲觀者言之，失地償金，國力索矣；自樂觀者言之，倘無甲午庚子兩次之福音，至今猶在八股垂發時代。居今日而言鎖國閉關之策，匪獨力所不能，亦且勢所不利。萬邦並立，動輒相關，無論其國若何富強，亦不能漠視外情，自為風氣。各國之制度文物，形式雖不必盡同，但不思驅其國於危亡者，其遵循共同原則之精神，漸趨一致，潮流所及，莫之能違。於此而執特別歷史國情之說，以冀抗此潮流，是猶有鎖國之精神，而無世界之智識。國民而無世界知識，其國將何以圖存於世界之中？語云：「閉戶造車，出門未必合轍。」今之造車者，不但閉戶，且欲以「周禮」「考工」之制，行之歐美康莊，其患將不止不合轍已也！

實利的而非虛文的

……夫利用厚生，崇實際而薄虛玄，本吾國初民之俗；而今日之社會制度，人心思想，悉自周、漢兩代而來，——周禮崇尚虛文，漢則罷黜百家而尊儒重道。——名教之所昭垂，人心之所祈向，無一不與社會現實生活背道而馳。倘不改弦而更張之，則國力莫由昭蘇，社會永無寧日。祀天神而拯水旱，誦「孝經」以退黃巾，人非童昏，知其妄也。物之不切於實用者，雖金玉圭璋，不如布粟糞土。若事之無利於個人或社會現實生活者，皆虛文也，誑人之事也。誑人之事，雖祖宗之所遺留，聖賢之所垂教，政府之所提倡，社會之所崇尚，皆一文不值也！

科學的而非想像的

科學者何？吾人對於事物之概念，綜合客觀之現象，訴之主觀之理性，而不矛盾之謂也。想像者何？既超脫客觀之現象，復拋棄主觀之理性，憑空構造，有假定而無實證，不可以人間已有之智靈，明其理由，道其法則者也。在昔蒙昧之世，當今淺化之民，有想像而無科學。宗教美文，皆想像時代之產物。近代歐洲之所以優越他族者，科學之興，其功不在人權說下，若舟車之有兩輪焉。今且日新月異，舉凡一事之興，一物之細，罔不訴之科學法則，以定其得失從違；其效將使人間之思想云為，一遵理性，而迷信斬焉，而無知妄作之風息焉。

（節選自陳獨秀《敬告青年》，《陳獨秀文章選編》，三聯書店 1984 年版）

編選說明 ●●●

1915 年 9 月 15 日，陳獨秀創辦《新青年》雜誌。陳獨秀所寫的發刊詞《敬告青年》是該刊的綱領性文章。該文開明宗義指出「人權說」、「生物進化論」、「社會主義」這三事是近代文明的特徵，要實現這社會改革的三事，關鍵在於新一代青年的自身覺悟和觀念更新。通過剖析近代歐洲強盛的原因，認為人權和科學是推動社會歷史前進的兩個車輪，從而首先在中國高舉起科學與民主兩面大旗。《新青年》的創刊是新文化運動興起的標誌，《敬告青年》則成為新文化運動的宣言書。

李大釗

試看將來的環球，必是赤旗的世界

「勝利了！勝利了！聯軍勝利了！降服了！降服了！德國降服了！」家家門上插的國旗，人人口裏喊的萬歲，似乎都有這幾句話在那顏色上音調裏隱隱約約的透出來。……

但是我輩立在世界人類中一員的地位，仔細想想：這回勝利，究竟是誰的勝利？這回降服，究竟是那個降服？這回功業，究竟是誰的功業？我們慶祝，究竟是為誰慶祝？想到這些問題，不但我們不出兵的將軍、不要臉的政客，耀武誇功，沒有一點趣味，就是聯合國人論這次戰爭終結是聯合國的武力把德國武力打倒的，發狂祝賀，也是全沒意義。不但他們的慶祝誇耀，是全無意味，就是他們的政治運命，也怕不久和德國的軍國主義同歸消亡！

……

Bolshevism 就是俄國 Bolsheviki 所抱的主義。這個主義，是怎樣的主義？很難用一句話解釋明白。尋他的語源，卻有「多數」的意思。郭冷苔（Collontay）是那黨中的女傑，曾遇見過一位英國新聞記者，問她 Bolsheviki 是何意義？女傑答曰：「問 Bolsheviki 是何意義，實在沒用，因為但看他們所做的事，便知這字的意思。」據這位女傑的解釋，「Bolsheviki 的意思，只是指他們所做的事。」但從這位女傑自稱他在西歐是 Revolutionary Socialist，在東歐是 Bolshevika 的話，和

Bolsheviki 所做的事看起來，他們的主義，就是革命的社會主義；他們的黨，就是革命的社會黨；他們是奉德國社會主義經濟學家馬客士（Marx）為宗主的；他們的目的，在把現在為社會主義的障礙的國家界限打破，把資本家獨佔利益的生產製度打破。此次戰爭的真因，原來也是為把國家界限打破而起的。因為資本主義所擴張的生產力，非現在國家的界限內所能包容；因為國家的界限內範圍太狹，不足供他的生產力的發展，所以大家才要靠著戰爭，打破這種界限，要想合全球水陸各地成一經濟組織，使各部分互相聯結。關於打破國家界限這一點，社會黨人也與他們意見相同。但是資本家的政府企望此事，為使他們國內的中級社會獲得利益，依靠戰勝國資本家一階級的世界經濟發展，不依靠全世界合於人道的生產者合理的組織的協力互助。這種戰勝國，將因此次戰爭，由一個強國的地位進而為世界大帝國。Bolsheviki 看破這一點，所以大聲疾呼，宣告：此次戰爭是 Czar 的戰爭，是 Kaiser 的戰爭，是 Kings 的戰爭，是 Emperors 的戰爭，是資本家政府的戰爭，不是他們的戰爭。他們的戰爭，是階級戰爭，是合世界無產庶民對於世界資本家的戰爭。戰爭固為他們所反對，但是他們也不恐怕戰爭。他們主張一切男女都應該工作，工作的男女都應該組入一個聯合，每個聯合都應該有的中央統治會議，這等會議，應該組織世界所有的政府，沒有康格雷，沒有巴力門，沒有大總統，沒有總理，沒有內閣，沒有立法部，沒有統治者，但有勞工聯合的會議，什麼事都歸他們決定。一切產業都歸在那產業裏作工的人所有，此外不許更有所有權。他們將要聯合世界的無產庶民，拿他們最大、最強的抵抗力，創造自由鄉土，先造歐洲聯邦民主國，做世界聯邦的基礎。

這是 Bolsheviki 的主義。這是二十世紀世界革命的新信條。

……以上所舉，都是戰爭終結以前的話，德奧社會的革命未發以前的話。到了今日，陀氏的責言，已經有了反響。威、哈二氏的評論，也算有了驗證。匈奧革命，德國革命，勃牙利革命，最近荷蘭、瑞典、西班牙也有革命社會黨奮起的風謠。革命的情形，和俄國大抵相同。赤色旗到處翻飛，勞工會紛紛成立，可以說完全是俄羅斯式的革命，可以說是二十世紀式的革命。象這般滔滔滾滾的潮流，實非現在資本家的政府所能防遏得住的。因為二十世紀的群眾運動，是合世界人類全體為一大群眾。這大群眾裏邊的每一個人、一部分人的暗示模仿，集中而成一種偉大不可抗的社會力。這種世界的社會力，在人間一有動盪，世界各處都有風靡雲湧、山鳴谷應的樣子。在這世界的群眾運動的中間，歷史上殘餘的東西，凡可以障阻這新運動的進路的，必挾雷霆萬鈞的力量摧拉他們。他們遇見這種不可當的潮流，都像枯黃的樹葉遇見凜冽的秋風一般，一個一個的飛落在地。由今以後，到處所見的，都是 Bolshevism 戰勝的旗。到處所聞的，都是 Bolshevism 的凱歌的聲。人道的警鐘響了！自由的曙光現了！試看將來的環球，必是赤旗的世界！

（節選自李大釗《布爾什維克主義的勝利》，《李大釗文選》，上海遠東出版社 1995 年版）

編選說明 ●●●

《布爾什維克主義的勝利》一文為李大釗所撰寫，1918 年 11 月刊發於《新青年》。文章熱烈歡呼「十月革命」的勝利，認為這是民主主義的勝利，是布林什維的勝利，是世界勞工階級的勝利，並宣告布林什維主義一定能在全世界取得勝利。人類的進步史就是人民群眾不斷抗爭的解放史，社會主義就是人民追求的現階段進一步解放自己的更高級的社會生活方式。

孫中山

國之安危，繫於民權之發達

中華民族，世界之之大者也，亦世界之至憂者也。中華土地，世界之至廣者也，亦世界之至富者也。然而以此至大至憂之民族，據此至廣至富之土地，會此世運進化之時，人文發達之際，猶未能先我東鄰而改造一富強之國家者，其何故也？人心渙散，民力不聚結也。

中國有四萬萬之眾等於一盤散沙，此豈天生而然耶？實異族之專制有以致之也。在滿清之世，集會有禁，文字成獄，偶語棄市，是人民之集會自由、出版自由、思想自由皆削多淨盡，至二百六十餘年之久。種族不至滅絕亦云幸矣，豈復能期其人心固結、群立發揚耶？

乃天不棄此優秀眾大之民族。其始也，得歐風美雨之吹沐；其繼也，得東鄰維新之喚起；其終也，得革命風潮之震盪。遂一舉而推覆異族之專制，光復祖宗之故業，又為民權發達之第一步。然中國人受集會之厲禁，數百年於茲，合群之天性殆失，是以集會之原則、集會之條理、集會之習慣、集會之經驗，皆闕然無有。以一盤散沙之民眾，忽而登彼於民國主人之位，宜乎其手足無措，不聽所從，所謂集會則烏合而已。是中國之國民，今日實未能行民權之第一步也。

然則何為而可？吾知野心家必曰「非帝政不可」，曲學者必曰「非專制不可」。不知國猶人也，人之初生，不能一日而舉步，而國之初造，豈能一時而突飛？孩提之舉步也，必有保姆教之，今國民之學步亦當如是。此《民權初步》一書之所由作，而以教國民行民權之第一步也。

自西學之東來也，玄妙如宗教、哲學，奧衍如天、算、理、化，資治如政治、經濟，壽世如醫藥、衛生，實用如農、工、商、兵，博雅如歷史、文藝，無不各有專書，而獨於淺近需要之議學則尚闕如，誠為吾國人群社會之一大缺憾矣。夫議事之學，西人童兒習之，至中學程度則已成為第二之天性也，所以西人合群團體之力常超吾人之上也。

西國議學之書不知其幾千百家也，而其流行常見者亦不下百數十種，然皆陳陳相因，大同小異。此書所取材者，不過數種，而尤以沙德氏之書為最多，以其顯淺易明，便於初學，而適於吾國人也。此書條分縷析，應有盡有，已全括議學之妙用也。自合議制度始於英國，而流佈於歐美各國，以至於今，數百年來之經驗習慣，可於此書一朝而能循世界進化之潮流，而創立中華民國。無如國體初建，民權未張，是以野心家竟欲覆民政而復帝制，民國五年已變為洪憲元年矣！所幸革命之元氣未消，新舊兩派皆爭相反對帝制自為者，而民國乃得中興。今後民國前途之安危若何，則全視民權之發達如何耳。

何為民國？美國總統林肯氏有言曰「民之所有、民之所治、民之所享。」此之謂民國也。何謂民權？即近來瑞士國所行之制：民有選舉官吏之權、民有罷免官吏之權、民有創製法案之權、民有復決法案之權，此之謂四大民權也。革命黨之誓約曰：「恢復中華，創立民國。」蓋欲以此世界至大至憂之民族，而造一世界至進步、至莊嚴、至富強、至安樂之國家，而為民所有、為民所治、為民所享者也。

今民國之名定矣。名正則言順，言順則事成，而革命之功亦以之而畢亦。此後顧名思義，循名課實，以完成革命志士之志，而造成一純粹民國者，則國民之責也。蓋國民為一國之主，為統治權之所出；而實行其權者，則發端於瑞士選舉代議士。倘能按部就班，以漸而進，由幼稚而強壯，民權發達，則純粹之民國可指日而待也。

民權何由而發達？則從固結人心、糾合群力始。而欲固結人心、糾合群力，又非從集會不為功。是集會者，實得之亦。

此書譬之兵家之操典，化學之公式，非流覽誦讀之書，乃習練演試之書也。若以流覽誦讀而治此書，則必味如嚼蠟，終無所得。若以習練演試而治此書則將如啖蔗，漸入佳境。一旦貫通，則會議之妙用，可全然領略矣。

凡欲負國民之責任者，不可不習此書。凡欲固結吾國之人心、糾合吾國之民力者，不可不熟習此書。而遍傳之於國人，使成為一普通之常識。家族也、社會也、學校也、農團也、工黨也、商會也、公司也、國會也、省會也、縣會也、國民會議也、軍事會議也，皆當以此為法則。

此書為教吾國人行民權第一步之方法也。倘此第一步能行，則逐步前進，民權之發達必有登峰造極之一日。語曰：「行遠自邇，登高自卑。」吾國人既知民權為人類進化之極則，而民國為世界最高尚之國體，而定之以為制度矣，則行第一步之功夫萬不可忽略也。苟人人熟習此書，則人心自結，民力自固。如是，以我四萬萬眾優秀文敏之民族，而握有世界最良美之土地、最博大之富源，若一心一德，以圖富強，吾決十年之後，必能駕歐美而上之也。四萬萬同胞行哉勉之！

（節選自孫中山《建國方略》，中國長安出版社 2011 年版）

編選說明 ●●●

《建國方略》是孫中山於 1917 年至 1920 年期間所著的三本書——《孫文學說》《實業計劃》《民權初步》的合稱。該書系統地論述了「結會、動議、修正案、動議之順序、權宜及秩序」等問題，敘述了政府管理和群眾在社會生活中應掌握的民主原則、程序和方法，集中討論了認識論問題，以大量事例理論化了「行易知難」的觀點，宣揚了「行而後知」的唯物主義認識論，反映了孫中山宣導民主政治的思想。《建國方略》是孫中山為中國國民黨制定的指導思想和基本原則，也是孫中山構建的資產階級共和國的藍圖。

王亞南

中國官僚政治的發展邏輯

關於官僚政治（不管是舊的還是新的）要在如何的社會條件下，始能從根被清除掉的問題，事實上，雖已在前一問題的解答中，間接地予以暗示到了，但為了廓清我們認識上的一些不健全想法，仍需要進一步予以直接的補充的說明。

代替官的或官僚的時代的人民時代，我們由上面的解述已大體知道，那不是在歷史發展過程中「自然」產出的，正猶如其對極的官的時代，亦不是在那種歷史發展過程中「自然」消失的一樣。所謂歷史的發展，是把要生者不易順利生長，必須掙扎、必須奮鬥，該死者不肯知價死去，也同樣在掙扎、在奮鬥的那些事實加算在裏面來加重表現的。真正的歷史主義者決不是宿命主義者或進化主義者，而必得是革命主義者。

在第二次世界大戰以後，一個新的人民時代雖然已在形成、已在成長，但不僅落後社會的傳統封建勢力還不肯輕易從歷史舞臺上退出，就是原來從封建束縛中解脫出來的先進國家的資本主義勢力，臨到它的歷史也走到盡頭的時候，竟不惜夥同或扶植它發生期的敵人——封建主義勢力，阻礙著人民政治形態的形成和成長。因此，人民的時代，雖大體已呈現在我們眼前，成為任何一個已在前進狀態中的落後國家人民前進的感召和鼓舞，但由於各國的自然條件與歷史條件不同，各國與他國所發生的國際關係不同，其前進的障礙和突破那種阻礙所採取的途徑與方法，是無法完全一樣的。

中國是一個延續了二千餘年之久的專制官僚統治國家。我們已由前面的說明中，領教過它那種統治的延續性、包容性與貫徹性，當它與國際資本接觸後，原來的性格雖有所改變，並且還在晚近模仿了國外浪漫主義的法西斯蒂成分，依靠著買辦資本力量出現了一個新官僚政治形態，更進而形成當前的官僚政治與官僚經濟的混合統一體。這一來，不但官僚政治的屬性，在一般人心目中有些模糊，就是它真正的社會基礎，它在實質上寄存於封建剝削的因果關係，也叫人弄不明白。所以，國外人士責難中國政府官僚化，希望中國進行改革；國內人士責難政府無效率、腐敗無能、官僚化，希望政府改革；就是國民黨黨內，乃至政府內部，也有不少有識人士，強調當前政治上的癱瘓脫節現象主要是由於官僚及官僚資本作祟所致，因而迫切要求改革。他們所責難、所強調的官僚政治的禍害，大體都是對的，但他們提出的改革方法，或使官僚政治為其它民主政治所代替的途徑，就似乎有些「文不對題」了。為什麼？因為他們如其不是根本看落了中國官僚政治的封建特質，就是不明白世界現階段剷除官僚政治之封建根基的民主革命步驟，早已不能像近代初期那樣由都市工商業主或啟蒙知識分子領導去做，而必須由工農大眾起來推動他們一道去做。如其不此之圖，單單把希望寄託於自由知識分子，寄託於政府自身，甚至寄託於各級政府中的那些政治弊害的製造者，那不是「對牛彈琴」就是「與虎謀皮」了。我們原不否認當前中國各級政府的官吏中，特別是政府以外的自由知識分子中，確有不少有良心和有為的人材存在；我們甚至還承認在那些「國人皆曰可殺」的大小貪污官吏中，也確有不少想力圖振作、革面洗心，以贖前愆的人物存在。然而官僚政治既然是當做一個社會制度，當做一個延續了數千年之久而又極有包容性、貫徹性的社會制度客觀地存在著，我們要改革它，要剷除它，就不能單憑自己一時的高興，也不能單憑外面有力的推動，甚至也不能完全信賴任何偉大人物的大仁大智大勇或其決心與作為，而最先、最重要的是要依據正確的社會科學來診斷它的病源，並參證當前世界各國對於根絕那種病源所施行的最有效的內外科方術。

在科學的時代不相信科學，在人民的時代不信賴人民，即使是真心想求政治民主化，真心想還政於「民」，那也將證明他或他們的「好心」、「善意」、「真誠」以及「偉大懷抱」與多方努力，會在歷史的頑固性面前討沒趣，或導演出一些令人啼笑皆非的滑稽劇。如其說，那些簡易而廉價的民主化戲劇，對於中國官僚政治的革除有什麼幫助的話，那就是，把那類戲劇看完了、看膩了、看到太沒有出息了，到頭將會逼著大家，甚至尚有心肝、有血氣的官僚自身，改變一個想法，改變一個做法，而恍然悟到二十世紀五十年代，不是一個可以耍政治魔術的時代，而是一個科學的、人民的時代！

一句話；中國的官僚政治，必得在作為其社會基礎的封建體制（買辦的或官僚的經濟組織，最後仍是依存於封建的剝削關係）清除了，必得在作為其它與民對立的社會身份關係洗脫了，從而必得讓人民，讓一般工農大眾，普遍地自覺自動起來，參加並主導著政治革新運動了，那才是它（官僚政治）真正壽終正寢的時候。

（節選自王亞南《中國官僚政治研究》，中國社會科學出版社

2010 年版）

編選說明 ●●●

《中國官僚政治研究》是我國第一部用馬克思主義科學方法系統地剖析傳統官僚政治的著作，是批判官僚政治的銳利的理論武器。它從分析中國社會經濟形態入手，結合秦漢至民國的歷史找出官僚政治的產生、形態和特徵，及其與封建社會長期停滯的關聯，在與西方官僚制度的對比中，揭示出官僚政治發展和轉化的一般規律，至今仍具現實意義。

錢穆

歷代政治制度的經驗和流弊

我想再對中國歷代政治，說一點簡單的看法：從秦到清兩千年，我們對以往的傳統政治，至少不能很簡單地說它是專制政治了。我們平心從歷史客觀方面講，這兩千年來，在政治上，當然有很多很可寶貴的經驗，但也有很多的流弊，以前曾不斷地修改，以後自然仍非不斷地修改不可。從這兩千年的歷史中，我們可以對以往傳統政治，找出幾條大趨勢。在此，我只想專舉我們認為一些不好的趨勢，再一陳述。至於好的方面，我們且暫略不講了。

第一，中央政府有逐步集權的傾向。這從某一方面講是好的，一個國家該要有一個凝固的中央。政治進步，政權自然集中，任何國家都走這條路。開始是封建，四分五裂，慢慢地就統一集中。然而自漢迄唐，就已有過於集權之勢。到宋、明、清三朝，尤其是逐步集權，結果使地方政治一天天衰落。直到今天，成為中國政治上極大一問題。這問題孫中山先生也提到，對於新的縣政，我們該如何建設，舊的省區制度，又該如何改進，實在值得我們再細來研究。當知中國政治上的中央集權，地方沒落，已經有它顯著的歷史趨勢，而且為期已不短。地方官一天天沒有地位，地方政治也一天天沒有起色，全部政治歸屬到中央，這不是一種好現象。固然民國以來數十年的中央始終沒有能夠達成圓滿穩固的統一，國家統一是我們政治上應該絕對爭取的。但如何使國家統一而不太偏於中央集權，能多注意地方政治的改進，這是我們值得努力之第一事。

第二，可以說中國歷史上傳統政治，已造成了社會各階層一天天地趨向於平等。中國傳統政治上節制資本的政策，從漢到清，都沿襲著。其它關於廢除一切特權的措施，除卻如元、清兩代的部族政權是例外，也可以說是始終一貫看重的。因此封建社會很早就推翻了。東漢一下的大門第，也在晚唐時期沒落了。中國社會自宋以下，就造成了一個平鋪的社會。封建貴族公爵之類早就廢去，官吏不能世襲，政權普遍公開，考試合條件的，誰也可以入仕途。這種平鋪的社會，也有其毛病。平鋪了就不見其有力量。這種事在近代中國，曾有兩個人講到過：一個是顧亭林。他是明末清初人，他想革命排滿，但他深感社會沒有力量，無可憑藉。他曾跑到山西，看見一個裴村，全村都是姓裴的，他們祖先在唐代是大門第，做過好幾任宰相，直到明末，還是幾百幾千家聚族而居。他看見這樣的村莊，他認為社會要封建才有力量。外面敵人來了，縱使中央政府垮臺，社會還可以到處起來反抗。但他所講的封建，卻並不是要特權，只是要分權。中央早把權分給與地方，中央垮了，地方還可有辦法。這是顧亭林的苦心。再一位是孫中山先生。他要革命，他跑到國外，只結合一些知識分子，這是不夠力量的。他看見中國社會有許多幫會和秘密結社，他認為這是中國社會一力量，可以利用。這種幫會組織，自然不能說它是封建，也不是資本主義。當知只要有組織，便可有力量。我們看西方，一個大工廠，幾千幾萬人，有的政黨便儘量挑撥利用，鬧起事來，一罷工就可發生大影響。因為它是一個組織，所以是一個力量了。中國近代社會卻找不出這些力量來。人都是平鋪的、散漫的，於是我們就只能利用學生罷課，上街遊行，隨便一集合，就是幾百幾千人，這也算是力量了。西方由封建主義的社會進到資本主義的社會，不過是由大地主變成大廠家。對於群眾，還是能一把抓。在此一把抓之下，卻形成起力量來。中國傳統政治，想來就注意節制資本，封建勢力打倒了，沒有資本集中，於是社會就成為一種平鋪的社會。若要講平等，中國人最平等。若要講自由，中國人也最自由。孫中山先生看此情形再透徹沒有了。

然而正因為太過平等自由了，就不能有力量。平等了裏面還有一個關鍵，就是該誰來管政治呢？政府終究是高高在上的。社會平等，什麼人該爬上來當官掌權呢？中國傳統政治，規定只許讀書人可以出來問政，讀書人經過考試合格就可以做官。讀書人大都來自農村，他縱做了官，他的兒孫未必仍做官，於是別的家庭又起來了，窮苦奮發的人又出了頭，這辦法是好的。不過積久了，讀書人愈來愈多，做官人也愈來愈多，因為政權是開放的，社會上聰明才智之士都想去走做官這條路，工商業就被人看不起，實際縱使封建貴族，也沒有所謂官。

於是社會上聰明才智之人都去經營工商業，待他們自己有了力量，才結合著爭政權。這就形成了今天的西方社會。中國很早就獎勵讀書人，所謂學而優則仕，聰明人都讀書，讀書了就想做官去，所以使中國政治表現出一種臃腫的毛病。好想一個人身上無用的脂肪太多了，變肥胖了，這不是件好事。但這現象，直到今天，還是扭轉不過來。

第三，長治久安，是人人希望的，可是在這種情形下的知識分子，至多也只能維持上三代。起先是一個勤奮苦讀的人出來問世，一直飛黃騰達，而他的下一代，很快就變成紈絝子弟了。於是有另一個家庭裏勤耕苦讀的人物，由再昂起頭來。我們只看宋明兩代的宰相，多數是貧寒出身，平地拔起的。然而天下太平，皇帝可以兩三百年世襲，做宰相的人，前十年還在窮鄉茅簷下讀書，但皇帝已是有著七八世、九十世的傳統了。相形之下，皇帝的地位和尊嚴，自然一天天提高。皇室的權，總是逐步升，政府的權，總是逐步降。這也是中國傳統政治上的大毛病。雖說此後這種毛病可以沒有了，但讀歷史的人仍該知道這回事，才能對中國以往政治有一種比較合理的認識。

（節選自錢穆《中國歷代政治得失》，三聯書店 2010 年版）

編選說明 ●●●

該書為錢穆先生專題演講的合集。該書就中國漢、唐、宋、明、清五朝的政府組織、百官職權、考試監察、財經賦稅、兵役義務等種種政治制度作了介紹和對比，敘述因革演變，指陳利害得失，既總括了中國歷史與政治的精要大義，又點明了近現代中國人對傳統文化和精神的種種誤解，言簡意賅，語重心長，實不失為一部簡明的「中國政治制度史」。

擴展閱讀

1. 《墨子》，中華書局 2007 年版。
2. 《淮南子》，中華書局 2010 年版。
3. 賈誼：《賈誼集·賈太傅新書》，嶽麓書社 2010 年版。
4. 李世民：《帝範》，新世界出版社 2009 版。
5. 呂本中：《官箴》，三秦出版社 2006 年版。
6. 黎靖德：《朱子語類》，中華書局 1986 年版。
7. 王陽明著，沈順蔡譯注：《傳習錄》，廣州出版社 2006 年版。
8. 汪龍莊、萬楓江著，祁曉玲編譯：《中國官場學》，今日中國出版社 1995 年版。
9. 呂不韋著，王曉明注譯：《呂氏春秋通詮》，江西人民出版社 2010 年版。
10. 劉向：《戰國策》，中華書局 2006 年版。
11. 李宗吾：《厚黑全集》，江西人民出版社 2007 年版。
12. 許蘇民、許廣民注釋：《日知錄一百句》，復旦大學出版社 2011 年版。
13. 蕭公權：《中國政治思想史》，新星出版社 2005 年版。

後記 •••

在人類文明的歷史長河中，從世界到中國，從遠古到現今，一批批先賢哲人為我們留下了難以計數的經典著作，這些作品極大地推動了社會的進步，豐富了人們的精神文化生活，是人類文明的瑰寶。

中共江西省委宣傳部組織專家按政治、經濟、哲學、法學、文學、歷史、藝術、科技八個門類，從古今中外的經典著作中精選了一批有代表性的作品，分別編輯成冊，供廣大幹部學習借鑒。我們相信，廣大讀者一定可以通過閱讀這套書，獲取知識，獲取智慧，獲取力量。

在選編過程中，借鑒選用了國內一些出版社公開出版的經典著作中的篇章，藉此機會，特向這些著作的著者、整理者、譯者和出版者表示誠摯的謝意。同時歡迎相關著者、譯者見到本書後與我們聯繫，我們將按有關標準及時奉寄稿酬。由於時間緊，加之水準有限，遺珠之處在所難免，請廣大讀者批評指正。

江西人民出版社

2011 年 11 月

昌明文庫．悅讀經典 A0601003

一生必讀的中外經典名著・政治卷

選　　編　陳小林、馮志峰
責任編輯　蔡雅如

發 行 人　陳滿銘
總 經 理　梁錦興
總 編 輯　陳滿銘
副總編輯　張晏瑞
編 輯 所　萬卷樓圖書股份有限公司
排　　版　菩薩蠻數位文化有限公司
印　　刷　百通科技股份有限公司
封面設計　菩薩蠻數位文化有限公司

出　　版　昌明文化有限公司
桃園市龜山區中原街 32 號
電話 (02)23216565
發　　行　萬卷樓圖書股份有限公司
臺北市羅斯福路二段 41 號 6 樓之 3
電話 (02)23216565
傳真 (02)23218698
電郵 SERVICE@WANJUAN.COM.TW
大陸經銷
廈門外圖臺灣書店有限公司
電郵 JKB188@188.COM

ISBN 978-986-496-035-4
2017 年 7 月初版
定價：新臺幣 400 元

如何購買本書：
1. 劃撥購書，請透過以下郵政劃撥帳號：
帳號：15624015
戶名：萬卷樓圖書股份有限公司
2. 轉帳購書，請透過以下帳戶
合作金庫銀行 古亭分行
戶名：萬卷樓圖書股份有限公司
帳號：0877717092596
3. 網路購書，請透過萬卷樓網站
網址 WWW.WANJUAN.COM.TW
大量購書，請直接聯繫我們，將有專人為您服務。客服：(02)23216565 分機 10

國家圖書館出版品預行編目資料

一生必讀的中外經典名著. 政治卷 / 陳小林, 馮志峰選編. -- 初版. -- 桃園市 : 昌明文化出版 ; 臺北市 : 萬卷樓發行, 2017.07
面 ; 公分. -- (昌明文庫. 悅讀經典 ; A0601003)
ISBN 978-986-496-035-4(平裝)
1.推薦書目
012.4　　106011519

本著作物經廈門墨客知識產權代理有限公司代理，由江西人民出版社有限責任公司授權萬卷樓圖書股份有限公司出版、發行中文繁體字版版權。